CÓMO JUGAR Y GANAR AL

PÓKER

TEXAS HOLD'EM
Y OTRAS MODALIDADES

EDICIÓN ORIGINAL

EDICIÓN
Martin Corteel

EDICIÓN ARTÍSTICA Y PROYECTO
Luke Griffin

DISEÑO
ON FIRE

EDICIÓN ESPAÑOLA

DIRECCIÓN EDITORIAL
Jordi Induráin Pons

EDICIÓN
Àngels Casanovas Freixas

TRADUCCIÓN Y ACTUALIZACIÓN
César Ayala Pérez

REVISIÓN TÉCNICA
Leo Margets

CORRECCIÓN
Àngels Olivera Cabezón
Paloma Muñoz Fernández

MAQUETACIÓN Y PREIMPRESIÓN
Marc Monner Argimon

CUBIERTA
Tendencia Cero

ILUSTRACIONES DE CUBIERTA
© Cassava Enterprises Ltd.

© CARLTON BOOKS LIMITED 2006

© 2010 LAROUSSE EDITORIAL, S.L.
Mallorca 45, 3ª planta - 08029 Barcelona
Tel.: 93 241 35 05 – Fax: 93 241 35 07
larousse@larousse.es - www.larousse.es

ISBN: 978-84-8016-693-5
Depósito legal: B-10.131-2010
Impresión: BIGSA
Impreso en España – Printed in Spain

CÓMO JUGAR Y GANAR AL

PÓKER

TEXAS HOLD'EM
Y OTRAS MODALIDADES

Dave
WOODS

Matt
BROUGHTON

Prologado
y revisado por

Leo
MARGETS

LAROUSSE

Sumario

El póker lleva aquí muchísimo tiempo. Si no te lo crees, pregúntale a Mel Gibson, en su papel de la película *Maverick*.

Prólogo

La vida y el póker

Descubrí el póker por primera vez en el año 2005 de una forma un tanto casual. Sin embargo, una vez entré en contacto con él, me quedé prendada y supe que ese juego iba a cambiarme la vida... No me equivocaba.

En el año 2008 gané el Campeonato Universitario de Póker, y, gracias a ese primer triunfo, 888.com decidió apostar por mí y conseguí un patrocinio para los torneos nacionales.

A partir de ese momento, mi actitud hacia el póker cambió para enfocarlo de manera más profesional. Había logrado convertir mi hobby en mi día a día, y eso me hacía sentir increíblemente bien.

Desde entonces he ido combinando mi tiempo como jugadora de póker y embajadora de 888.com, representando a la marca allá donde voy.

Siempre he creído que tenemos que luchar por los sueños, por aquello que nos hace vibrar, que la suerte no se encuentra sino que se busca... y eso ha sido el leitmotiv de mi vida.

He ido logrando mis aspiraciones poco a poco, trabajando por ellas... hasta que en el año 2009 ocurrió algo mágico: visité Las Vegas por primera vez para jugar el evento principal de las WSOP (World Series of Poker), y la lié de la mejor manera posible. Finalicé en el puesto número 27 entre 6 500 jugadores, y obtuve, además, el título de Last Woman Standing.

Ha sido el mejor de los sueños... ¡y los que quedan, porque esto no se acaba aquí!

Desde que empecé mi andadura por el póker no he dejado de vibrar con lo que hago. Por eso, cuando me propusieron prologar este libro, me hizo una ilusión tremenda. Hay poquísimos libros que traten con profundidad el póker, algo que se ha convertido no sólo en mi profesión, sino también en una vocación, por lo que me alegra muchísimo poder colaborar en este lanzamiento que espero que sirva para instruir a todos aquellos aficionados que quieren dar un pasito más en este deporte.

Antes de que empieces a leer este libro, lo principal es que entiendas que el póker no es sólo un juego de cartas, es muchísimo más. El póker es como la vida; al final no importa las cartas que te den, sino cómo las juegues: puedes recibir dos ases en mano (o tener una vida aparentemente predestinada para el éxito) y fracasar estrepitosamente si no sabes jugar tu baza. Del mismo modo, alguien que tiene todo en contra y parece que tenga que luchar contra corriente (o recibir una mediocre mano inicial) puede triunfar si es suficientemente avispado y sabe maximizar sus oportunidades.

El póker es una negociación, es un juego de preguntas mediante apuestas, un diálogo entre personas con la utilización de fichas. Cada movimiento sirve para sacar información, para intentar saber dónde estás en una determinada jugada... Es un juego de tanteo, una ciencia basada en información imperfecta, pues todas las variables no dejan de ser una suposición a la que tú has llegado mediante la cadencia de apuestas.

Se trata de ser el más listo, el que mejor lee a sus rivales, y de hacer jugadas correctas a largo plazo. Aun así, a veces perderás, a pesar de estar realizando un movimiento adecuado; la suerte de vez en cuando se reirá de ti y le otorgará el bote a tu rival. Tranquilo, aunque sé que es muy difícil, en realidad deberías celebrar este hecho. ¡Que haya jugadores malos que eventualmente ganen alguna mano es lo que hace que, a la larga, este juego sea rentable!

Te invito a que te adentres en *Cómo jugar y ganar al póker*, un libro que se centra sobre todo en la modalidad más jugada en todo el mundo y en el que aprenderás las nociones básicas para profundizar en el maravilloso universo del Texas Hold'em No Limit. ¡Espero que lo disfrutes!

Leo Margets
Jugadora profesional de 888.com
www.leomargets.com

Introducción

«El póker se considera generalmente la segunda actividad nocturna más popular de América. El sexo está bien, o eso dicen, pero el póker dura más.»
AL ALVAREZ (autor de *The Biggest Game in Town*)

Con más de doscientos millones de jugadores en todo el mundo, es justo decir que el póker es el juego más extendido.

En todo el planeta se barajan cartas, se utilizan fichas para representar apuestas y el dinero cambia de manos. Esto ha sorprendido a mucha gente, pero no debería haberlo hecho. El póker tiene todos los componentes de un gran juego: es increíblemente sencillo de aprender, pero está repleto de conceptos sutiles. Añade un poco de suerte para mantener bajo control incluso a los mejores jugadores y tienes un juego que siempre acaba extendiéndose como el fuego. Todo lo que necesitaba era un catalizador...

James Spader en la película de 1993 La música del azar.

Introducción

El póker no es un juego nuevo y, en contra de la opinión popular, ni siquiera es un juego norteamericano, aunque en el siglo XX lo hicieron suyo. Pero, entonces, ¿de dónde procede?

La historia

Las raíces del póker se remontan a un juego persa del siglo XVI llamado As Nas, que utilizaba una baraja de 20 o 25 cartas (dependiendo de si había cuatro o cinco jugadores), divididas en cinco palos o temas diferentes, y en cada una de las cartas había una imagen de la corte.

De hecho, las imágenes de las cartas en muchas ocasiones representaban a personajes reales de las coronas europeas, históricas, bíblicas o incluso mitológicas. Por ejemplo, en la baraja parisina, una de las más famosas, el Rey de picas, representaba al rey David de la Biblia, el de diamantes a Julio César y el de tréboles

Puedes dar las gracias a la antigua Persia por inventar el póker. El juego persa As Nas fue el precursor del juego que conocemos hoy.

¿Quieres una parte del botín?

a Alejandro Magno. En lo que respecta a las Reinas, la de picas era Palas Atenea y la de corazones Judith de la Biblia. Las Jotas tenían a Héctor de Troya en los diamantes y a Lanzarote del Lago en los tréboles, por citar algunos. Pero no solo eran personajes de tiempos pasados, también se creaban barajas en las que los Reyes y las Reinas representaban a las cabezas de las coronas europeas de la época. Y, como otra curiosidad, decir que el hecho de que el As pasase a convertirse oficialmente en la carta más alta de la baraja (algo que antes no siempre era así, ya que el Rey era la más alta) tuvo lugar durante la Revolución francesa, como forma de representar el triunfo del pueblo sobre los monarcas.

El juego viajó hasta Alemania (donde se le llamó *pochen*) y Francia (*poque*) antes de acabar

El Horseshoe Casino de Benny Binion, hogar espiritual de las World Series of Poker.

en América. Lo más probable es que llegase a través de las colonias francesas, por Canadá y Nueva Orleans, a comienzos del siglo XVIII. Desde allí se extendió a Louisiana gracias al Mississippi y a sus barcos de vapor y, desde allí, a toda Norteamérica.

Aunque nadie sabe realmente de dónde procede exactamente el póker, lo que es indiscutible es que el juego tal y como lo conocemos cobró vida en Las Vegas en la década de 1970, cuando Benny Binion, propietario del Horseshoe Casino, celebró las World Series of Poker (conocidas como las WSOP). Al torneo inaugural solo acudió un número reducido de jugadores, que jugaron a distintas variantes del póker. Al final, todos votaron al ganador y el gran Johnny Moss fue coronado oficialmente campeón del mundo.

Al año siguiente se utilizó una estructura de torneo, que sentó las bases de los torneos que conocemos hoy en día. Se pagaba una cuota de entrada fija, se recibía la misma cantidad de fichas que todos los demás y se jugaba hasta que se perdía o se declaraba un ganador. Pero aunque las World Series aumentaban año tras año a buen ritmo, Benny Binion no estaba preparado para lo que iba a suceder.

En la actualidad

Para decirlo de una forma suave, el juego se ha vuelto loco. El póker, y en especial un juego conocido como el «Cadillac del póker», el No-Limit Texas Hold'em, ha pasado de los casinos a los hogares. Y la culpa es de Internet. La gente descubrió que, de repente, ya no hacía

Late Night Poker introdujo las mesas de cristal en el póker en 1999, que permitieron ver las cartas de la mano por primera vez.

falta trasladarse a los clubes de póker o a los casinos, lugares que pueden intimidar bastante. Simplemente bastaba con conectarse a una página de póker *online*, activa las 24 horas del día, y encontrar gente con la que jugar. Ni siquiera se precisaba jugar con dinero real. Los juegos que utilizan dinero ficticio y los manuales *online* hicieron al póker aún más popular. Y el reciente aumento de la cobertura televisiva ha incrementado la fama de este juego. Tradicionalmente, el póker no era un juego digno de verse. Y todo por una buena razón: no se podían ver las cartas. Ver una partida de póker tenía menos interés que sentarse a solas en una habitación a oscuras. Pero entonces, el Reino Unido lo cambió todo.

En 1999, *Late Night Poker* (que comenzó a emitirse en Channel 4) introdujo las mesas de cristal, que permitían a las cámaras y a los espectadores ver qué cartas se habían repartido a los jugadores. De repente, el juego era digno de verse y el póker pasó al *prime-time*. Los beneficios que eso reportó al juego, los patrocinios y los anunciantes convirtieron a los grandes jugadores en las superestrellas (y multimillonarios) que son hoy, además de popularizar enormemente el juego.

Hoy por hoy, no es posible escapar de la parafernalia del póker. Supermercados, cadenas de tiendas y establecimientos de deportes disponen de una amplia variedad de productos relacionados con el póker, incluidos cartas, fichas y maletines de póker. Las navidades pasadas, el maletín de póker fue un regalo «obligatorio» y fueras donde fueras te encontrabas con él. No podías escapar.

Abierto a todos

Pero no termina todo ahí. Gran parte de la popularidad del póker radica en el hecho de que no discrimina a nadie. ¿En qué otro juego puedes sentar a famosos como Ben Affleck en la misma mesa que un campeón mundial, un ama de casa y un estudiante y dejar que jueguen unos contra otros por millones de dólares? ¿Puedes imaginarte jugando unos hoyos contra Tiger Woods o subiéndote a un ring para pelear contra Mike Tyson? Juega al póker y podrás jugar con los mejores del mundo; puede que incluso ganes.

En 2005, el campeón de las World Series of Poker fue Joe Hachem, un quiropráctico australiano que se embolsó 7,5 millones de dólares. Y los dos años anteriores ganaron Greg Moneymaker (es su apellido real) y Greg Raymer, respectivamente. Estos dos jugadores ganaron su puesto en las finales clasificándose por Internet. Leer este libro puede que no te convierta en campeón del mundo, pero te proporcionará todo lo necesario para empezar a jugar y a ganar al póker con regularidad. Y también te permitirá comprender que lo importante es divertirse. Recuerda que en solo 100 años

Chris Moneymaker ganó las World Series of Poker en 2003 y convirtió una modesta inversión de 35 dólares en 2,5 millones de dólares. El año que viene podrías ser tú.

Carlos Mortensen se ha ganado el apodo de «El Matador».

manos. Además de ser un jugador excepcional, fue el primero que escribió un libro sobre cómo jugar al póker. Su afamado *Super System*, publicado en la década de 1970, lo cambió todo. Además, ha ganado 10 brazaletes de las WSOP y aún hoy sigue jugando al máximo nivel. Su fama es tal que una mano inicial del Hold'em, 10-2, se denomina La Brunson. Con ella ganó 2 veces las WSOP.

Pero si hay que hablar de ganadores de las WSOP, es imposible no mencionar a Phil Hellmuth. Este jugador consiguió su primer brazalete a los 24 años y, desde entonces, ha ganado otros 10, todos ellos en Texas Hold'em. Es la persona que más brazaletes ha obtenido, y su estilo de juego, activo y agresivo, le ha granjeado no pocas enemistades pero, sin duda, es eficaz y, si alguien puede presumir de su éxitos, es él.

Pero el mundo del póker no es solo de los hombres. Jennifer Harman forma parte de los grandes de este juego, y los dos brazaletes que ha ganado, uno de ellos en una modalidad a la que aprendió a jugar 5 minutos antes del comienzo del evento, demuestran que las mujeres pueden llegar muy lejos. Y otra prueba de ello es Leo Margets.

Daniel Negreanu es otro excelente jugador que se ha hecho famoso por su habilidad para leer a los contrarios. Respetado y temido por toda la comunidad de jugadores, logró ganar 4 brazaletes en las WSOP. Además, es uno de los jugadores más televisivos, ya que ha aparecido en numerosos programas de póker y ha realizado cameos en series y películas (es uno de los jugadores con los que juega Gambito en la película *Lobezno: Orígenes*).

Ganar brazaletes en las WSOP es una señal inequívoca de éxito en el póker, pero no es imprescindible.

Tom «durrrr» Dwan es un joven de 23 años que ha demostrado en infinidad de ocasiones que puede medirse cara a cara con los veteranos y vaciarles los bolsillos. Muchos se esperaban que este joven, que ha labrado su carrera jugando por

el póker ha pasado de la oscuridad a ser uno de los pasatiempos más populares y emocionantes del planeta.

Los grandes jugadores de póker son considerados auténticas celebridades y muchas veces no solo por sus habilidades en el juego, sino también por sus excentricidades. Pero como este es un libro de póker, vamos a hablar de algunos de los jugadores de más éxito en el mundo.

Es imposible no empezar a hablar de póker actual sin mencionar a Doyle Brunson, probablemente la mayor leyenda del póker de la historia. Este tejano de pura cepa, ya septuagenario, es uno de los grandes responsables de que el póker tenga el éxito que tiene y de que tú tengas este libro en tus

Internet, no estuviera a la altura en el juego en vivo. Ahora se preguntan dónde está su dinero.

Y no hay que dar por supuesto que todos los grandes son norteamericanos. Por ejemplo, Patrik Antonius, un ex modelo finlandés, es ahora otro de los grandes nombres del póker con el que a nadie le gustaría encontrarse en una mesa (aunque su enorme parecido con Brad Pitt puede hacer que haya gente a quien le gustaría encontrárselo en cualquier parte).

En lo que respecta a España, aunque el póker llegó más tarde que a otros países, ya tenemos nombres que empiezan a despuntar. Prueba de ello son jugadores de la talla de Leo Margets, que en las WSOP de 2009 fue la última mujer en quedar eliminada.

El valenciano Raúl Mestre no es solo una de las cabezas pensantes que se encuentran tras la escuela de póker *online* Educapoker, sino que también se considera uno de los mejores jugadores de *cash* (es decir, con dinero en metálico, no torneos) de España y, ahora, gracias a la citada escuela, está enseñando a jugar a un gran número de nuevos jugadores que están asaltando las mesas de todo el mundo.

Pero si ha habido alguien que ha sabido dejar huella ha sido, sin duda alguna, Carlos Mortensen «El Matador». Nacido en Ecuador, residió en España durante muchos años y, en 2001, ganó el evento principal de las WSOP. Se embolsó un millón y medio de dólares. Y en 2004 obtuvo otro millón de dólares en el World Poker Tour Doyle Brunson North American Poker Championship. Asimismo, consiguió ganar el quinto evento principal del World Poker Tour, llevándose más de tres millones de dólares y coronándose como la primera persona en lograr ganar los campeonatos mundiales de las WSOP y el WPT. Realmente su apodo le hace justicia.

Estás a punto de descubrir por qué...

Cómo leer este libro

El libro no es una novela y no vamos a ganar un premio literario. Puedes pasar de una página a otra y usar el libro como referencia. Ignora varios capítulos y léelos más tarde. Ojea el glosario, aprende primero la etiqueta y después cómo apostar como un profesional. Haz lo que desees. Todo lo que podemos decirte es que, si piensas jugar con dinero real, te leas el libro entero. Y cuando acabes, te lo vuelvas a leer.

Los símbolos

A medida que leas el libro, te encontrarás con los siguientes símbolos...

¡ANÉCDOTA!

Se trata de una pequeña historia fascinante. No la leas por obligación, hazlo para contarla y quedar bien en el bar.

CONSEJO

Es un buen consejo que te ayudará en tu juego. Memorízalos.

Avanzado

¿Te sientes valiente? Entonces quizás quieras leer estos consejos avanzados. Pero también puedes obviarlos hasta que sepas jugar decentemente.

¡AVISO!

El póker tiene sus propios peligros ocultos, de manera que asegúrate de no caer en ninguno de ellos.

Capítulo 1

Principios básicos

«Hay pocas cosas tan imperdonablemente ignoradas en nuestra nación como el póker. Las clases altas saben muy poco de él. De vez en cuando te encuentras con embajadores que tienen cierto conocimiento general del póker, pero la ignorancia de la gente es escalofriante. Pues yo me he encontrado con hombres del clero, buenos hombres, de buen corazón, liberales, sinceros, pero no conocían el significado de un "color". Es más que suficiente para hacer que uno se avergüence de la especie.»

MARK TWAIN

En este capítulo aprenderás que...

Observa *Lock & Stock* y no cometas su mismo error... aprende lo básico.

Todo el mundo juega al póker: intelectuales, deportistas, humoristas, profesionales, estudiantes, amas de casa, maridos, jóvenes y viejos. Y también te vamos a enseñar lo básico, presentándote conceptos clave como el importantísimo ranking de manos. Porque no querrás avergonzar más a Mark Twain, ¿verdad?

¿Qué es el póker?

Puede parecer una pregunta estúpida, pero *póker* es, de hecho, un término bastante amplio que abarca un gran número de variaciones sutiles y no tan sutiles. Sin embargo, en la base, se hallan las reglas básicas del póker.

Entre los juegos de póker más populares se encuentran el Texas Hold'em, Omaha, Draw de cinco cartas, Stud de siete cartas, Razz y Omaha ocho o mejor. Pero hay cientos más, a los que, en este mismo instante, juega la gente de todo el mundo. La buena noticia es que, si conoces las reglas básicas del póker, podrás dominar cualquiera de sus variantes. Quizás no destaques en todas ellas, pero podrás comenzar a jugar en unos minutos.

Básicamente, todos los juegos de póker se reducen a una sola cosa: la mejor mano de cinco cartas gana el bote (la cantidad acumulada por todos los jugadores en la mano actual). Y, a menos que juegues a la baja (donde la mano más baja gana), todos los juegos de póker siguen el sistema de ranking universal que más adelante se comentará.

Es lo bastante sencillo para los perros y lo bastante complejo para los intelectuales. Es hora de que aprendas a jugar al póker.

Como puedes ver si te fijas en las probabilidades de que te repartan una de esas manos, el ranking se ha diseñado partiendo de principios matemáticos. Estúdialo con atención. Puede que eso te impida poner todas tus fichas en un bote mientras haces castillos en el aire.

Ranking de manos

Aquí tienes las manos de póker y la probabilidad aproximada de conseguir una cuando te repartan cinco cartas aleatorias.

Escalera real de color	650 000 – 1
Escalera de color	72 200 – 1
Póker	4 200 – 1
Full	700 – 1
Color	510 – 1
Escalera	250 – 1
Trío	48 – 1
Dobles parejas	21 – 1
Pareja	5 – 2
Carta alta	1 – 1

CONSEJO

Antes de continuar, intenta memorizar la tabla con el ranking de manos. Si tienes dificultades para memorizar las cosas, vuelve a ella al final de cada capítulo. Haz una copia y llévala contigo si es necesario. Pase lo que pase, no confundas el orden y pienses que estás ganando cuando en realidad ya has perdido. Y nunca lleves la copia contigo a la mesa de póker. Es una excelente forma de decir que no sabes qué estás haciendo.

Ranking de manos

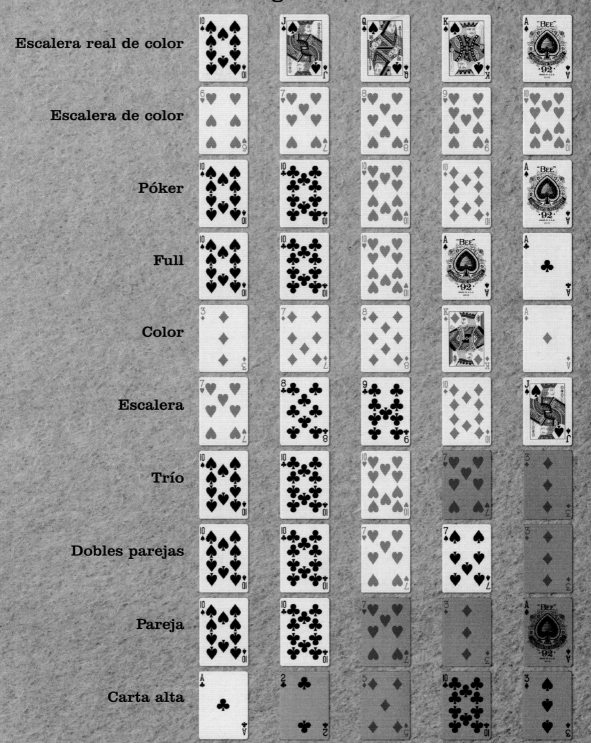

Cuando dos manos iguales se enfrentan, gana la más alta. Así, una pareja de Ases ganará a una de Reyes, y color con un As como carta más alta ganará a un color con un Rey como carta más alta. Si las dos manos son idénticas (por ejemplo, una pareja de Ases contra otra pareja de Ases), la siguiente carta alta de la mano, llamada el *kicker*, ganará. Una pareja de ases con un Rey de *kicker* ganará a una pareja de Ases con una reina de *kicker*.

Escalera real de color

Se trata de algo semejante al Santo Grial del mundo del póker y es algo tan extraño que, para que os hagáis una idea, los autores de este libro, aunque acumulan muchos años de juego, todavía no han conseguido hacer una. Obtener una forma parte de nuestra ambición vital. Una escalera real de color está formada por las cinco cartas más altas: Diez, Jota, Reina, Rey y As del mismo palo. Es lo máximo, la mejor mano de póker que se puede encontrar (a menos que juegues Lowball) y no puede ser superada. Si alguna vez tienes una, probablemente solo ganarás 1,50 € *online*, no los millones de un campeonato del mundo, pero leerás muchísimas exclamaciones escritas por el resto de jugadores, algo que te debería hacer sentir muy especial.

Escalera de color

Cualquier otra secuencia o serie de cartas del mismo palo se conoce como *escalera de color*. Y, a menos que tengas la mala suerte de encontrar a alguien que

tenga una escalera real de color en la misma mano, el bote es tuyo. Es una mano monstruo. En el caso de que dos jugadores tengan una escalera de color en la misma mano, gana la carta más alta.

Póker

No necesita demasiada explicación: cuatro cartas, todas del mismo valor, como, por ejemplo, 10-10-10-10. Cuanto más alta sea la carta, mejor será la mano. Cuatro Ases ganarán a cualquier otro póker, y cuatro Treses superarán a cuatro Doses. Es una mano monstruo, así que juégala en consonancia.

Full

También conocido en ciertos círculos como *barco* o *barco completo*, un *full* es una mano formada por un trío y una pareja. El trío cuenta con la parte más alta de la mano en el caso de que compitan dos *full*. Así, una mano de Q-Q-Q-8-8 (llamado *full de Reinas y Ochos*) ganaría a una mano de 7-7-7-Q-Q (un *full* de Sietes y Reinas). De la misma forma, un *full* de A-A-A-10-10 ganaría a un *full* de K-K-K-10-10.

Color

A pesar de estar exactamente en el medio del ranking de manos, un color es una gran mano. Consiste en cinco cartas cualquiera del mismo palo, y la carta más alta es la ganadora en el caso de que dos colores compitan. Cualquier color con un As se llama *color máximo*, el mejor color que existe.

Escalera

Se trata de una secuencia de cinco cartas de palos diferentes. Cuando dos escaleras compiten por el mismo bote, la carta más alta de la escalera determina el ganador. Así 4d-5s-6h-7h-8d (una escalera al Ocho) ganaría a 2c-3d-4d-5s-6h (una escalera al Seis).

Trío

Son tres cartas del mismo valor, como J-J-J. Tres Jotas ganan a tres Dieces, y tres Ases ganan a cualquier trío. Es una buena mano.

Dobles parejas

Se trata de una pareja de un rango y otra de otro; por ejemplo, A-A y 3-3. Si más de un jugador tiene dobles parejas, la pareja más alta ganará el bote. Si ambos jugadores tienen la misma pareja alta, la que tenga la segunda mejor pareja será la ganadora. Una pareja de Ases y Treses ganará a una de Ases y Doses. Las dobles parejas parecen una mano muy fuerte, pero dependiendo del juego al que se juegue y las otras cartas de la mesa, puede ser extremadamente peligrosa. Considera todas las manos que pueden ganarte y juégala con precaución.

Pareja

Mucha gente apuesta demasiado con una pareja, y, aunque es cierto que en juegos como Texas Hold'Em lo habitual es que una pareja gane, no hay que olvidar que está muy abajo en el ranking de manos y que solo gana a una pareja peor o a una carta alta. Si dos personas tienen una pareja, la más alta gana y, si más de un jugador tiene la misma pareja, la siguiente carta no relacionada (llamada *kicker*) se llevará el bote. Así, un jugador con K-K-A-7-8 ganará a un jugador con K-K-J-10-9, siendo el As el *kicker* que marca la diferencia.

Carta alta

Un detalle divertido: puedes ganar una mano con cinco cartas cualquiera. Si nadie más hace una pareja o algo mejor, la carta más alta (el As es la mejor) gana. También puedes, sencillamente, tirarte un farol para evitar problemas e intentar representar una mano mucho más fuerte. Recuerda que en el póker lo importante no es lo que tienes, sino lo que tu oponente cree que tienes.

Avanzado

En algunas variantes del póker puedes ganar teniendo la mano más baja, como en el denominado Lowball. Y hay algunos juegos, como el Omaha Hi/Lo, en el que dos manos (la más alta y la más baja) pueden compartir el bote.

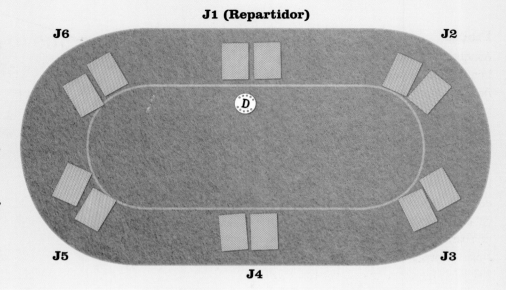

J1 (Repartidor)

J6   J2

Una mesa básica de Texas Hold'em para seis jugadores
En la ilustración, el Jugador 1 es el repartidor (D, del inglés *dealer*). Empezando con el jugador situado a su izquierda, el Jugador 1 reparte cartas a cada jugador por turno, para terminar con él mismo. En el Texas Hold'em, todos empiezan con «manos» de dos cartas.

J5   J3

J4

Barajar y repartir

La mayoría de los juegos utiliza la baraja estándar de 52 cartas (algunas variaciones incluyen un comodín) y, a diferencia de otros juegos, siempre se baraja el mazo después de cada mano. Puedes jugar en una sola mesa contra una sola persona o hasta con un máximo confortable de diez personas. En los grandes torneos, donde hay cientos y miles de jugadores, estos se distribuyen en mesas individuales de diez jugadores, que se van equilibrando a medida que estos son eliminados.

En cada mesa, y por turnos, todos los jugadores actúan como repartidor. Si juegas *online* o en un casino decente, un repartidor virtual o físico repartirá las cartas a cada jugador, lo que acelera y facilita el juego. Se coloca un botón enfrente del repartidor «actual» y se va desplazando de posición en posición tras cada mano. Esto facilita la tarea de saber quién tiene que repartir a continuación y a quién le toca colocar apuestas. El repartidor (o repartidor nominal si juegas *online*), con cada jugada, se mueve una posición siguiendo el sentido de las agujas del reloj, y la persona sentada directamente a su izquierda es la que comienza a apostar.

Empezar a jugar

El núcleo del póker son las apuestas, razón por la que les hemos dedicado un capítulo completo. De hecho, el póker a menudo se describe más como un juego de apuestas (con las cartas como ayudas) que como un juego de cartas. Cuando empieces, juega con apuestas muy pequeñas o usa dinero ficticio. La mayoría de las páginas *online* te permitirán jugar gratis antes de pasar a lo duro. ¿Por qué? Pues porque, a menos que tengas mucha suerte, empezarás perdiendo. Incluso si ganas algunas partidas gracias a las buenas cartas, tus primeras semanas o quizás tus dos primeros meses acabarán con pérdidas. Pero en cuanto confíes en tus habilidades, podrás pasar al dinero real. Y entonces es cuando el póker es póker de verdad.

¡ADVERTENCIA!

Sé sensato. Al póker se acaba jugando con dinero real, pero nunca deberías jugar por más de lo que te puedas permitir perder. Se supone que es un juego divertido, no algo que te arruine. Calcula con cuánto te puedes permitir jugar y no te sientas tentado de traspasar ese límite.

Fichas

Aunque al póker se juega mejor *por* dinero, irónicamente no se juega bien *con* dinero. Necesitas fichas. La ficha, uno de los grandes inventos de la historia, es tu forma de mantener la puntuación durante una partida.

¿Y por qué no jugar directamente con dinero e ignorar al intermediario? Jugar con dinero real es negativo por dos razones. Lo primero es que las denominaciones están mal y no puedes apilar o contar pilas de dinero. No hay nada que estropee más una partida de póker que alguien vaya a hacer una apuesta y pregunte si alguien tiene cambio de cinco. Y si quieres jugar una partida con tus amigos una noche y todos queréis empezar con 5 €, ¿cómo haréis que funcione? Podríais ir todos al banco y volver con

«La persona que inventó el juego fue brillante, pero el que inventó la ficha fue un genio.»
JULIUS «BIG JULIE» WEINTRAUB
(jugador profesional de Nueva York)

En el póker, las fichas son la forma de llevar la puntuación.

una saca de monedas de cinco y diez céntimos, ¿pero quién quiere llevarse una bolsa enorme de pequeñas monedas al final de la noche?

Y la otra razón es puramente psicológica. Una pila de fichas no es tan aterradora como una pila de billetes. Puede que tengas 50 € repartidos en una pila de fichas de colores, pero, al igual que ocurre con la moneda extranjera cuando estás de vacaciones, en realidad no sientes cómo gastas o pierdes dinero real. Si juegas con apuestas más altas y empiezas a apostar con fajos de billetes no podrás relajarte ni concentrarte durante la partida. Estarás pensando: «Ahí va una televisión de plasma» o «Maldición, con eso podría haberme comprado otro par de zapatos». Eso no es bueno. Y, además, aunque ignorases las dos razones anteriores, las fichas dan vida al póker. Proporcionan sonidos (aprenderás a adorar el sonido de las fichas cuando entran en contacto), color, entretenimiento (cuando alguien intenta hacer un truco y las tira todas) y todo ello ayuda a que te concentres en las cartas.

Las fichas baratas tampoco son buenas. Juega en un casino y jugarás con fichas sólidas y duras que dicen: «No he venido a hacer gracias». Además, tienen un tacto agradable. No deberías jugar con ninguna otra cosa, estés donde estés.

Las fichas no son dinero

El objetivo del póker es ganar todas las fichas, algo que puedes conseguir de dos formas distintas. Puedes tener la mejor mano en el enfrentamiento (cuando ya no quedan más cartas por repartir y la última ronda de apuestas ha terminado) o puedes hacer creer a los demás que tienes la mejor mano en un momento concreto y hacer que abandonen (retirarse del juego) o que tiren a la basura sus manos, quedándote como único jugador activo. Cualquiera de las dos formas es buena.

Con independencia de la clase de póker al que juegues, estarás contra otras personas en lo que se conoce como *partidas con dinero o torneos*.

Aprende algunos trucos elegantes con las fichas y fórjate una imagen decente en la mesa y tendrás a tus oponentes muy ocupados.

Las partidas con dinero son aquellas en las que cada ficha que se apuesta tiene un valor económico fijo y es posible ganar o perder dinero real en cada mano. La mayoría de los profesionales (que se ganan la vida jugando al póker) obtiene gran parte de su dinero en estas partidas. Sencillamente llevas un número de fichas a la mesa y apuestas en cada mano hasta que lo pierdas todo o decidas marcharte. Los torneos son distintos.

Tienen una inscripción fija, recibes determinada cantidad de fichas (la misma para todos los participantes) y juegas hasta que no te queden fichas o hayas ganado todas las del torneo. Esta clase de torneos se puede dividir en otros tipos…

Torneo de una mesa (*single-table tournament* o STT) o *sit-and-go*

La acción tiene lugar solo en una mesa, con de dos a diez jugadores. Un torneo de dos jugadores se conoce como *torneo cara a cara*, pero no importa contra cuánta gente juegues, ya que siempre seguirás las reglas de torneo. La estructura de premios para un torneo de diez personas en una sola mesa suele ser un 50 %, un 30 % y un 20 % de la reserva de premios para el primero, el segundo y el tercero, respectivamente.

En el STT que aparece más adelante, diez jugadores han pagado unos 10 € como inscripción y han recibido fichas por valor de unos 1 500 €. Obviamente, en realidad no tienen un valor de 1 500 €, sino que tan solo se utilizan para llevar

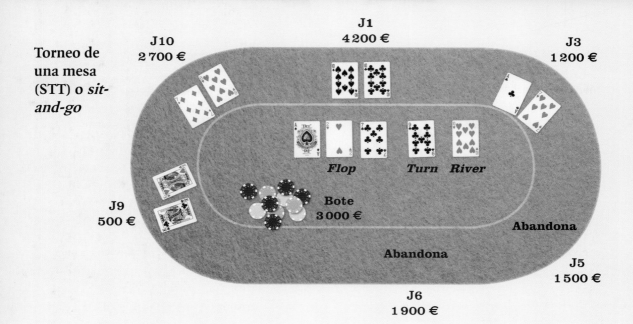

Torneo de una mesa (STT) o *sit-and-go*

J10
2 700 €

J1
4 200 €

J3
1 200 €

Flop   *Turn*   *River*

J9
500 €

Bote
3 000 €

Abandona

Abandona

J5
1 500 €

J6
1 900 €

la puntuación. Tu objetivo es acabar con todos los demás y conseguir los 15 000 € en fichas. Ya solo quedan seis jugadores; cuatro han sido eliminados (perdieron todas sus fichas) y el Jugador 1 es el líder en fichas y está a punto de ganar una mano.

El formato STT es enormemente popular por las siguientes razones: a diferencia de las partidas con dinero, donde puedes perder dinero en cada mano, aquí sabes exactamente cuánto dinero puedes ganar o perder. Una vez has pagado la inscripción ya no puedes endeudarte más, así que puedes sentarte y disfrutar del póker. El STT es también muy cómodo porque es posible calcular, más o menos,

el tiempo que vas a jugar. Obviamente, cada partida es diferente, pero se puede afirmar, con bastante seguridad, que un STT *online* de diez personas no

El STT: juega hasta que te eliminen o consigas todas las fichas.

Avanzado

Puedes controlar la duración de un torneo (de una mesa o multi-mesa) utilizando estructuras de ciegas y diferentes fichas iniciales. Si quieres una partida rápida, puedes poner unas ciegas relativamente altas comparadas con las fichas en juego y subir de nivel cada diez minutos. Si deseas una partida más larga y con más juego, deberías empezar con ciegas bajas y establecer más tiempo entre cada subida de nivel.

Las World Series of Poker es el torneo más importante en el mundo del póker. Cada año, miles de personas llenan el Harrah's Rio Casino en un intento de llegar a ser campeón del mundo y embolsarse los millones de dólares del premio.

precisa más de una hora, o dos si juegas en la vida real. Así que te puedes permitir jugar en la hora de la comida.

¡ANÉCDOTA!

Al principio, las **World Series of Poker** se jugaban en el Horseshoe Casino, en el centro de Las Vegas, pero la envergadura del evento y el hecho de que lo comprase Harrah's ha hecho que se traslade al Strip. Los 45 torneos de la edición de 2006 se celebraron en el Rio Casino, que albergó el mayor festival de póker de la historia, incluido el descomunal evento principal de trece días. Lo irónico es que ahora, para jugar a un juego de cartas, se considera que, si quieres soportar esa agotadora maratón, tienes que ser joven y estar en forma.

Torneo multi-mesa (*multi-table tournament* o MTT)

La mayoría de los profesionales se gana la vida con partidas en las que se juega dinero; sin embargo, los MTT son los que llenan los titulares. Estos torneos cubren cualquier partida de póker donde se juegue en más de una mesa, así que es posible ver a veinte personas luchando en dos mesas o cinco mil en un salón con quinientas mesas. La mayoría de los MTT tienen los mismos objetivos: hay que acumular todas las fichas en juego, pero el elevadísimo número de jugadores hace que sea necesario jugar durante mucho más tiempo si se quiere ganar. Algunos grandes torneos duran más de una semana y, para que te hagas una idea del nivel de desafío que representan, durante todo ese tiempo tienes que concentrarte al máximo sin cometer ni un solo error grave.

El mayor torneo son las World Series of Poker, que tienen lugar en los salones del Harrah's Rio

Casino, en Las Vegas, cada verano. Las WSOP de 2006 consistieron en 45 torneos, incluido un evento de HORSE mixto (Hold'em, Omaha, Razz, Cubierto de siete cartas y Eight-or-Better), con una inscripción tan elevada como 50 000 $. El evento principal sigue siendo el Campeonato de No-Limit (o *The Big One*). La inscripción son 10 000 $, pero la mayoría de la gente se clasifica *online* mediante satélites que tan solo cuestan 10 $. Al ganador se le considera el campeón mundial no oficial y se embolsa millones de dólares, así como fama mundial.

La habilidad acaba marcando la diferencia

Ya se ha comentado con anterioridad que el póker es un juego de apuestas. De hecho, ciertas personas lo consideran un juego de apuestas en el que las cartas son una mera ayuda. Incluso aunque no juegues con dinero, debes disponer de algún medio para llevar la puntuación, aunque sea con la ayuda de cerillas. Pero la belleza del póker reside en que apuestas contra otras personas, contra gente como tú, falible, con niveles de habilidad y estilos de juego de lo más variopinto.

No jugarás contra el casino, ni te enfrentarás constantemente a la ventaja de la casa, y por ese motivo a menudo el póker se considera un juego de habilidad. Evidentemente hay un elemento de suerte, pero el buen póker, con el tiempo, acaba triunfando.

Resumen

- **Existen cientos de variantes de póker.**

- **Pero todas ellas utilizan apuestas en las que se emplean fichas para llevar la cuenta.**

- **Ganas el bote haciendo la mejor mano de cinco cartas o faroleando y haciendo que tu oponente abandone.**

- **Las posibilidades de hacer una escalera real son de 650 000 a 1, lo que significa que es más probable que ganes la lotería.**

- **Puedes jugar partidas con dinero en las que las fichas equivalen a dinero, o torneos (de una o varias mesas) en los que pagas una inscripción fija y obtienes la misma cantidad de fichas iniciales que los demás.**

- **El póker es un juego de habilidad en el que juegas contra gente real.**

En los torneos multi-mesa se encuentra el verdadero dinero.

Hold'em

«Hold'em es al Draw y al Stud lo
que el ajedrez es a las damas.»
Johnny Moss
(campeón de las WSOP en 1970, 1971 y 1974)

En este capítulo aprenderás a...

Jugar, con diferencia, a la forma de póker más popular
del planeta. El Texas Hold'em es el juego que ves en la
televisión, lees en los periódicos y con el que sueñas
cuando duermes. Llamado el «Cadillac del póker»,
constituye una mezcla de sangre fría, pura adrenalina
y guerra psicológica, además de ser lo más divertido
que se puede hacer con una baraja de cartas.
¿Estás preparado para el viaje de tu vida?

Michael Imperioli
interpretando
al campeón
de las WSOP
Stu Ungar en la
película Stuey.

Texas Hold'em

Se trata de tres palabras que, sin duda, iluminarán la mirada y acelerarán el pulso de cualquier jugador de póker. El Texas Hold'em ha ido aumentando su popularidad desde 1970 y en estos momentos ya domina el mundo.

Por suerte, como todos los grandes juegos, aprenderlo es muy fácil. Y, aunque ciertas cosas que aparecen en este capítulo más adelante pueden parecer un poco complicadas, en realidad no es así.

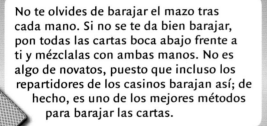

CONSEJO

No te olvides de barajar el mazo tras cada mano. Si no se te da bien barajar, pon todas las cartas boca abajo frente a ti y mézclalas con ambas manos. No es algo de novatos, puesto que incluso los repartidores de los casinos barajan así; de hecho, es uno de los mejores métodos para barajar las cartas.

Al igual que todos los juegos de póker, se empieza seleccionando un repartidor, que normalmente es quien saca la carta más alta. En la siguiente mano, el repartidor será la siguiente persona en el sentido de las agujas del reloj y, ante ella, se colocará el botón de repartidor, para saber quién reparte. Esto se conoce como *estar en el botón*.

Antes de que se repartan las cartas, los dos jugadores situados a la izquierda del repartidor tienen que hacer (o poner) las apuestas obligatorias, conocidas como *ciega grande y pequeña*. Estas apuestas «obligan» a que exista acción y hacen que siempre haya algo en la mesa por lo que jugar. Sin ellas, nada impediría que todo el mundo esperase tener una mano inicial *premium* y, al final, el juego sería muy

Comenzar

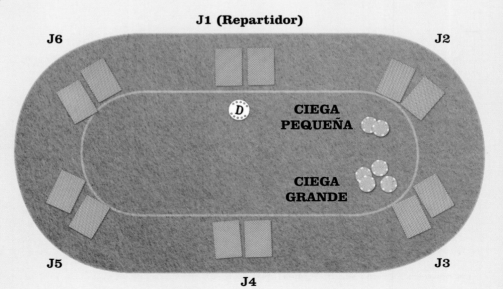

Aquí puedes ver la posición del repartidor y de las dos apuestas obligatorias, llamadas *ciegas*, a su izquierda. Todos tienen dos cartas, así que es hora de empezar la primera ronda de apuestas.

aburrido. La ciega grande representa la cantidad de la primera apuesta que deben igualar (o subir) aquellos jugadores que quieran quedarse en la mano.

Una vez se hayan puesto las ciegas, el repartidor da una carta boca abajo a todos los jugadores, siguiendo el orden de la mesa, y empezando por el jugador sentado a su izquierda, hasta que todos ellos tienen dos cartas boca abajo. Estas cartas se conocen como las *cartas de la mano* y son las únicas cartas que solo son tuyas. Cuídalas bien.

Cuando cada jugador tenga dos cartas, se debe empezar la primera ronda de apuestas. Las apuestas empiezan con el jugador situado a la izquierda de la ciega grande, que debe ver la apuesta (equiparando la cantidad puesta por la ciega

grande), subir o abandonar su mano. La operación prosigue hasta que todos los jugadores de la mesa han visto la apuesta más alta o han abandonado. Si no hay subidas, la ciega grande tiene la opción de subir o pasar (es decir, no hacer ninguna apuesta más).

El *flop*

A continuación, se llega a la fase más importante de cualquier mano de Texas Hold'em: el *flop*. Después de «quemar» una carta boca abajo, el repartidor coloca tres cartas boca arriba en mitad de la mesa. Se llaman el *flop* y todos los jugadores de la mesa pueden utilizarlas para hacer una mano de póker de cinco cartas. Si todavía estás en la partida, ya tienes cinco de las siete cartas que conseguirás. Por ese motivo, la mayoría de las manos se hacen o rompen con el *flop*.

Después del *flop* comienza otra ronda de apuestas, esta vez empezando por la persona sentada a la izquierda del repartidor, que puede pasar (no hace ninguna apuesta y pasa la acción al siguiente), apostar o abandonar. Si eres el primero en actuar, no hace falta que apuestes en este momento, y abandonar no tiene sentido, por lo que lo mejor suele ser pasar e intentar ver la carta del turn gratis.

Una vez ha terminado la ronda de apuestas, el repartidor quema otra carta boca abajo y después reparte la cuarta carta comunitaria (el turn) boca

CONSEJO

Puede parecer algo trivial, pero es importante que desarrolles una buena técnica para mirar las cartas de tu mano. Si has visto a los profesionales por televisión, verás que «doblan» las esquinas de sus cartas hacia arriba, utilizando los valores en las esquinas para saber qué cartas tienen. Hazlo así y resultará imposible que otro jugador vea lo que tienes, además de demostrar que ya has jugado antes. Cógelas y ponlas delante de tu cara y verás cómo los demás de la mesa te miran y se relamen. Y no quieres que hagan eso.

El *flop* son las tres primeras cartas comunitarias de una partida de Texas Hold'em. Todos pueden utilizarlas para completar sus manos y, tras ellas, llega la carta del turn y la del *river*. Al flop, el turn y el *river* se les llama la mesa.

arriba. Se produce otra ronda de apuestas y se quema otra carta antes de llegar a la quinta y última carta comunitaria final (el *river*).

Hasta aquí, todos los que quedan en la partida tienen dos cartas en la mano y cinco cartas comunitarias con las que hacer su mejor jugada de cinco cartas. Puedes usar cualquiera de esas siete cartas para hacer tu mano final, con alguna, todas o ninguna de las cartas en tu mano (esto solo si en la mesa hay una jugada mejor, algo que se denomina *jugar con la mesa*). Ahora que todas las cartas están en juego, tiene lugar la ronda final de apuestas y, si tras ella queda más de un jugador, se muestran las cartas, lo que se llama *enfrentamiento*, y el ganador (según el ranking de manos de la página 14) se lleva el bote. La propia naturaleza del juego hace que muchas manos no lleguen tan lejos.

¡ANÉCDOTA!

En una partida en vivo de Texas Hold'em, el repartidor siempre «quema» (coloca una carta boca abajo) antes del *flop*, el *turn* y el *river*. Esto se hace para evitar las trampas con una baraja marcada. Con una baraja marcada, el tramposo sabría cuál es la siguiente carta antes de cada ronda de apuestas.

Botes divididos

Un bote dividido (o repartido) tiene lugar cuando, en el enfrentamiento, la mano ganadora la tienen dos o más jugadores. Esto puede suceder si en la mesa hay una jugada mejor que la de cualquiera. En el primero de nuestros dos ejemplos, tú tienes una pareja de Reyes y tu oponente una pareja de Ochos, mientras que en la mesa hay 10-10-10-10-As, lo que os da a los dos un póker con un As de *kicker*. Ninguna de vuestras cartas puede mejorarlo y, por tanto, el bote se reparte.

Otro reparto común acaece cuando dos o más jugadores tienen la misma jugada con un *kicker* débil. En el segundo ejemplo, tú tienes A-7 y tu oponente

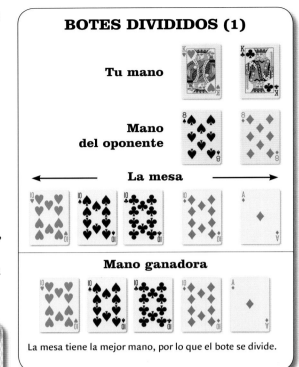

La mesa tiene la mejor mano, por lo que el bote se divide.

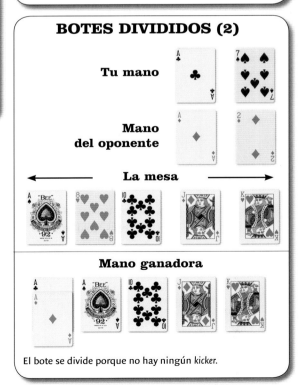

El bote se divide porque no hay ningún *kicker*.

A-2. En la mesa hay A-8-10-J-K. Ambos tenéis una pareja de Ases, pero tu *kicker* (el 7) no es más alto que cualquiera de las cartas de la mesa. Esto significa que la mano más alta posible, y la única que se aplica a tu oponente y a ti, es A-A-10-J-K.

Estrategia del Texas Hold'em

Eso es todo lo que hay que saber del Texas Hold'em. Pero aunque aprender a jugar es increíblemente fácil, jugar bien cuesta un poco más. A continuación se muestra una estrategia básica. Practícala y serás capaz de defenderte en la mayoría de partidas de nivel bajo, pero recuerda: nada sustituye a la experiencia. Puedes leer todos los libros del mundo, pero a menos que juegues, juegues y después juegues un poco más, solo serás un campeón teórico.

Manos iniciales *premium*

Para hacer tu mano final en Texas Hold'em dispones de siete cartas, pero solo dos de ellas son únicamente tuyas: las cartas que recibes al comienzo. Por ese motivo, las manos iniciales son tan importantes para tu éxito. Hasta que aprendas a jugar, te aconsejamos que juegues solo las siguientes manos *premium*. Pero recuerda que ninguna de ellas te garantiza conseguir el bote.

A-A

Sin duda alguna, es la mano inicial más fuerte del Texas Hold'em. Cuando veas una pareja de Ases tendrás que calmar tu desbocado corazón. También conocidos como *los cohetes* o *pocket rockets*, son una de las visiones más hermosas del póker. Pero no te dejes llevar. Al final del día solo son una pareja, aunque, eso sí, la más alta posible. Ten cuidado con los *flops* peligrosos que apunten a escaleras o colores.

K-K

Los vaqueros o *cowboys* son la segunda pareja más fuerte del Texas Hold'em y también la segunda mano más fuerte que se puede repartir. Juégalos en consonancia, pero estate atento a cualquier As que aparezca en el *flop* (algo que ocurrirá aproximadamente una de cada cinco veces). Si subes la apuesta antes del *flop* con Reyes, hay muchas posibilidades de que el jugador que te vea, o suba la apuesta, tenga un As. Si crees que te han ganado, tienes que estar dispuesto a tirarlos.

Q-Q

Es la tercera pareja más fuerte del juego, pero con Reyes y Ases como cartas superiores, tienes que estar preparado para tirar tus cartas si en el *flop* aparece cualquiera de ellas. Nunca te sientas tan unido a una mano como para no poder abandonarla. Es el camino más rápido hacia la bancarrota.

J-J

Se trata de la última de las grandes parejas y probablemente la más problemática de jugar. Esta pareja, en el *flop*, tiene grandes problemas contra Ases, Reyes y Reinas. De hecho, si dos jugadores se quedan y tienen entre ellos las tres cartas superiores, tendrás graves problemas. Vigila las apuestas de tus rivales y ten cuidado con el *flop*. Recuerda que nunca te debes sentir demasiado unido a una mano perdedora.

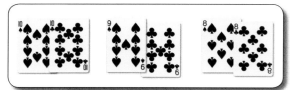

10-10, 9-9, 8-8

Jugar cualquiera de estas parejas puede ser muy difícil, pero también es posible que sean muy fuertes. Si antes de tu turno de apostar no ha habido acción, deberías subir y prestar mucha atención a las apuestas del resto de la mesa. Las grandes resubidas antes del *turn* te deberían preocupar y podrían bastar para hacerte abandonar incluso antes de ver el *flop*. Cuando se muestre el *flop*, lo que en realidad querrás ver es esa carta mágica que te da un trío, pero aunque esto no suceda, puede que sigas teniendo la mano ganadora.

A-K

También conocido como el *big slick*, A-K puede ser una mano monstruosa, sobre todo cuando las dos cartas son del mismo palo, pero tienes que mejorarla. Si no logras un As ni un Rey, ni haces escalera o color, lo único que tendrás será un As como carta alta, y con eso no vas a asustar a nadie. Apuesta o sube antes del *flop* e intenta reducir el número de contrincantes, si es posible, a uno. Si tienes dudas, recuerda el otro apodo que la comunidad del póker le ha dado a esta mano: Anna Kournikova. A-K es muy atractiva, pero no siempre juega bien.

A-Q, A-J, A-10

Las tres son manos iniciales fuertes, pero dependen del número de jugadores que queden en la mesa (cuantos más jugadores haya, más débiles resultan las manos) y de la cantidad de acción que haya habido antes de tu turno. No olvides que una apuesta grande, una subida o una resubida pueden indicar A-A, K-K, Q-Q o A-K, y si te involucras, esas manos te dominarían totalmente.

K-Q, K-J, Q-J, Q-10

Juega, pero ten en cuenta el número de gente en la mesa y tu posición respecto al botón. En Hold'em, la posición es vital y las manos se tornan más fuertes cuanto más cerca estés del botón del repartidor.

Recuerda que la fuerza de tu mano asciende a medida que el número de jugadores en la mesa desciende. Jugar Qh-10h probablemente no valga la pena en una mesa con 10 jugadores y en una posición inicial, pero si estás jugando un cara a cara o todos los demás han abandonado y estás en la ciega pequeña, puede que tengas un buen monstruo.

Jugar las parejas altas

Como tuyas, solo vas a tener dos cartas; las mejores manos iniciales que puedes tener son parejas altas. Pero, aunque son grandes manos iniciales, también pueden resultar problemáticas si no las juegas bien. Si consigues una pareja de Ases, puede que tu primer instinto sea tentar a todos los del bote para maximizar tus ganancias. Esto es un error enorme. Los Ases pueden ser los grandes favoritos contra cualquier otra mano, pero añade tres o cuatro manos aleatorias y, de repente, serás el perdedor con posibilidades reales de perder todas tus fichas.

En el primer ejemplo (arriba a la derecha), eres el primero en apostar y te limitas a ver la ciega grande con tus Ases. El Jugador 4 apuesta con 10s-Js, el Jugador 5 lo ve con Kh-9h, y las dos ciegas igualan y pasan respectivamente con 8s-6s y 7d-3h.

Jugar parejas altas

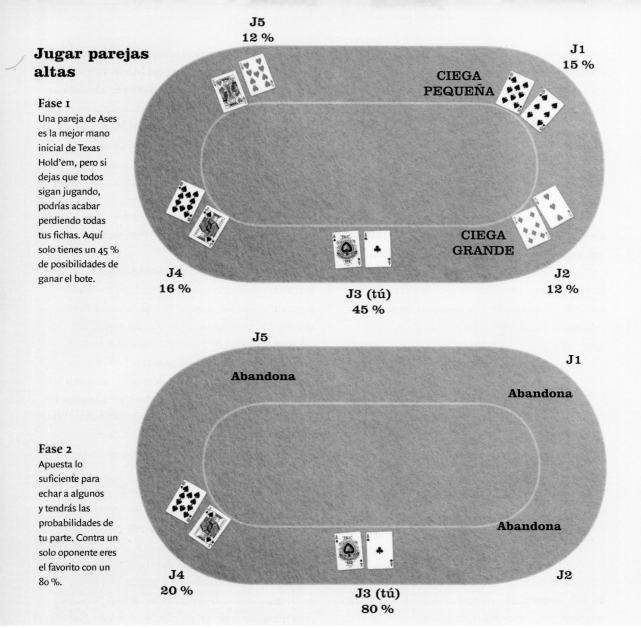

Fase 1

Una pareja de Ases es la mejor mano inicial de Texas Hold'em, pero si dejas que todos sigan jugando, podrías acabar perdiendo todas tus fichas. Aquí solo tienes un 45 % de posibilidades de ganar el bote.

J5
12 %

J1
15 %

CIEGA PEQUEÑA

CIEGA GRANDE

J4
16 %

J2
12 %

J3 (tú)
45 %

Fase 2

Apuesta lo suficiente para echar a algunos y tendrás las probabilidades de tu parte. Contra un solo oponente eres el favorito con un 80 %.

J5

J1

Abandona

Abandona

Abandona

J4
20 %

J2

J3 (tú)
80 %

Probabilidades aproximadas de ganar antes del *flop*

Jugador 1:	8s-6s	15 %
Jugador 2:	7d-3h	12 %
Tú:	As-Ac	45 %
Jugador 4:	10s-Js	16 %
Jugador 5:	Kh-9h	12 %

Como puedes ver, los Ases son por sí solos los grandes favoritos, pero ahora eres el perdedor contra el resto de manos combinadas. Como si pierdes es indiferente quién se haya llevado tu dinero, ya no eres el favorito para ganar la mano. Y, desde la posición inicial más fuerte, no es un buen movimiento.

Ahora observa lo que ocurre si repetimos esa mano, pero esta vez haces una subida decente, de tres veces la ciega grande. El Jugador 4 sigue viendo con su 10-J del mismo palo, pero el resto de jugadores abandonan, de manera que te dejan luchando por el bote contra solo un jugador.

Probabilidades aproximadas de ganar antes del *flop*

Tú:	As-Ac	80 %
Jugador 4:	10s-Js	20 %

Como puedes ver, ahora eres el favorito, con un 80 % de probabilidades de llevarte el bote. Puede que te sientas superado y pierdas, pero estás en una posición ganadora, y en el Texas Hold'em eso es todo lo que importa. Obviamente, todo esto también se aplica a las parejas altas, pero, entonces, reducir la competencia es aún más importante. Cuando tienes Reyes y Reinas, no quieres ir contra varios oponentes que quizás tengan cartas superiores.

Conectadas del mismo palo

Las cartas conectadas emparejadas son dos cartas del mismo palo que pueden utilizarse para hacer escaleras. Cuanto menor sea la diferencia entre ellas,

mejor habrán conectado. Una mano como 8h-9h va a proporcionarte más posibilidades de hacer una escalera que 4h-8h. Esta clase de cartas es muy popular entre muchos jugadores de Hold'em, ya que te permite hacer manos enormes con *flops* en apariencia inofensivos, como 6d-7h-10s, además de ofrecer posibilidades de color. Si esto sucede, puedes jugar despacio e intentar sacarle a tu oponente todo lo que tenga. Pero cuando juegues manos así, debes tener mucho cuidado; al principio te sugerimos que solo uses las manos *premium* que hemos mencionado antes.

Posición, posición, posición

Pero aunque jugar con manos iniciales *premium* es una forma adecuada y segura de jugar al Texas Hold'em, el problema es que va a ser muy fácil leerte. Lo ideal sería que mezclases tu juego y, cuando estés cómodo en la partida, ir pensando en ampliar la red.

Una cosa que nunca debes olvidar es que en Texas Hold'em la posición es vital. Cuanto más cerca estés del botón, más manos podrás jugar y más podrás arriesgarte. Al principio puede ser difícil de entender, pero si estás en el botón (el repartidor), eres el último en

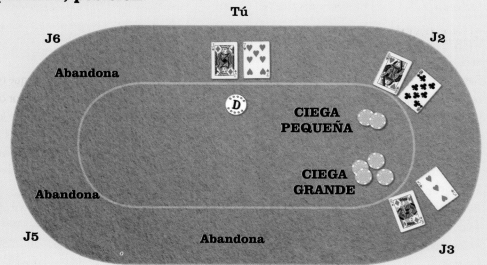

Posición, posición, posición

Tú

J6

J2

Abandona

CIEGA
PEQUEÑA

CIEGA
GRANDE

Cuando estás en el botón, te encuentras en una posición privilegiada para robar las ciegas, aunque tengas la peor mano.

Abandona

J5

Abandona

J4

J3

actuar en todas las rondas de apuesta a partir del *flop*. (En la primera ronda de apuestas, la ciega pequeña y la grande son las últimas en apostar, pero en todas las demás rondas son las primeras en hablar.) Esto significa que podrás ver qué hacen los demás jugadores y cuál es su fuerza relativa. Juega con tu posición y te convertirás en un jugador de Hold'em mucho mejor.

Tu mano:	Jd-7h
Ciega pequeña:	Qh-8c
Ciega grande:	Kd-3h

Aquí, tu mano es muy débil, pero toda la mesa ha abandonado hasta que el botón ha llegado a ti. Esto significa que solo te enfrentas a dos jugadores: la ciega pequeña y la grande, y las posibilidades de que tengan una mano *premium* son bastante escasas. A pesar de que te superan, una subida «en el botón» bien puede darte el bote sin tener que luchar. Y recuerda que si te ven, todavía tienes la posibilidad de ligar en el *flop* y ganar la mano.

Si quieres un juego más agresivo, puedes llevar esto un paso más allá y subir desde el botón con cualquier cosa, con la esperanza de que las dos ciegas abandonen. Pero ten cuidado con las veces que intentas esta operación, ya que las ciegas al final se acabarán cansando de que las robes y se defenderán.

Jugar o no jugar

Si en el Texas Hold'em has conseguido una mano fuerte con el *flop*, la decisión es fácil. Pero, ¿qué ocurre si el *flop* te da una mano marginal o un proyecto? ¿Cuánto deberías arriesgarte por el bote?

Pareja inferior

En el siguiente *flop* has conectado, pero solo has logrado una pareja inferior. Eso significa que en la mesa hay dos cartas superiores y, si tu oponente tiene cualquiera de los dos, será el gran favorito. Y como ha logrado la pareja superior (*top pair*), es el gran favorito.

PAREJA INFERIOR

Tu mano		25 %
Mano del oponente		75 %
El *flop*		

Aquí, has logrado la pareja inferior, pero tu oponente, con su par de Jacks es el gran favorito.

Porcentaje aproximado de tener una mano ganadora

Tu mano:	As-7c	25 %
Jugador 2:	Kh-Jh	75 %
Flop:	7s-Js-8d	

Una de las bases del póker es no meterse en una mano en la que lo más probable es que pierdas. Ten cuidado con las cartas superiores (*overcards*) y con las apuestas anteriores a la tuya. Si eres el primero en actuar, podrías hacer una apuesta de tanteo, pero solo una que estés dispuesto a perder si te suben.

Manos con proyectos

¿Qué sucede si haces una mano que tienes que mejorar, como un proyecto de color o de escalera? Por suerte, calcular las posibilidades de lograrla es fácil, puesto que es suficiente con usar las matemáticas básicas. Solo tienes que calcular la cantidad de cartas que quedan en la baraja con las que podrías completar tu mano. A dichas cartas se las conoce como *outs*. Si ya estás en el *flop* y aún faltan por aparecer el *turn* y el *river*, debes multiplicar el número de *outs* por cuatro. Si ya solo falta el *river*, multiplica tus *outs* por dos y suma dos. Aunque la cifra que

PROYECTOS DE MANOS

Tu mano

Mano del oponente

El *flop*

El *turn*

A falta de una sola carta, las posibilidades de que completes tu color y ganes el bote se han reducido mucho.

consigas no será matemáticamente exacta, los cálculos hasta 14 *outs* tienen como máximo un 5 % de margen de error y, si tienes más de 14 *outs* a falta de que salgan el *turn* y el *river*, siempre serás el favorito para ganar la mano. De cualquier forma, estará lo bastante bien como para satisfacer incluso al jugador de póker más puntilloso.

Tu mano: Kh-Ah
***Flop*:**   10h-5h-6s

Aquí tienes, con el *flop*, una mano potencialmente monstruosa para llevarte el bote. Posees cuatro de las cinco cartas necesarias para conseguir tu color máximo (tienes el As, así que no puede ganarte ningún otro color). Puede parecer algo simple, pero el Jugador 1, que está frente a ti, ha metido todas sus fichas, lo que significa que, si quieres seguir en el bote, tienes que hacer lo mismo. ¿Sigue pareciendo algo sencillo? En la baraja hay 13 corazones. Tú

tienes 2 en tus cartas y otros 2 en el *flop*, lo que deja 9 en la baraja (no puedes asumir que cualquier otro jugador tenga un corazón). Así que tus posibilidades de conseguir uno de los otros corazones son 9 x 4 = 36 %. Tienes una posibilidad entre tres de completar el color, lo que, de repente, hace que el acto de meter todas tus fichas sea mucho más difícil. ¿Te la juegas o no? Tú decides.

Pero, en este caso, puedes pensar que otro As o un Rey te darían la mano, por lo que tendrías 6 *outs* más, lo que hace un total de 15 (los 3 Ases y Reyes que faltan). Esto sube tus probabilidades hasta 15 x 4 = 60 %, algo que vuelve a poner las cosas a tu favor.

Pero si llegas al *river*, las probabilidades estarán en tu contra. Coge la misma mano, pero ahora lo han metido todo tras el *turn* y la mesa tiene las siguientes cartas.

Mesa: 10h-5h-6s-2d

Las probabilidades de lograr ahora el color son 9 x 2 + 2 = 20 % y las posibilidades de lograr el color, otro As u otro Rey son 15 x 2 + 2 = 32 %. De repente, abandonar parece la mejor opción.

Puede que pienses que no has empezado a jugar al póker para aprender matemáticas y tendrías razón. Se supone que el póker es divertido y no te aconsejamos que juegues con una calculadora en la mano. Pero si aprendes las probabilidades básicas, sabrás cuándo jugar y cuándo abandonar y eso te hará ganar más partidas. Y ahí es cuando empieza la diversión.

Probabilidades del bote

Pregunta: ¿cuándo deberías jugar una mano en la que no eres el favorito? Respuesta: cuando el bote o aquello que puedas ganar te ofrezca probabilidades favorables (conocidas como *probabilidades del bote*). En la siguiente mano tienes un proyecto de color que significa que en la baraja quedan nueve cartas que te pueden ayudar.

PROBABILIDADES DEL BOTE

Tu mano

El flop y el turn

Bote: 5,000 €

Apuesta para ver: 500 €

Probabilidades del bote 10-1

Probabilidades de completar el color, aprox.: 20% 4-1

Veredicto: ver

En esta situación, deberías seguir con el proyecto de color aunque solo tienes un 20 % de completarlo. Tienes las probabilidades correctas.

Tu mano: Ac-Qc

Flop y *turn*:   6c-9c-2h-4d

Porcentaje de lograr el color: 9 x 2 + 2 = 20 %

Eres el último en actuar y el Jugador 1 acaba de hacer una apuesta de unos 500 €, una apuesta que debes ver para permanecer en la mano. Como tienes un 20 % de lograr el color máximo, por cada cinco manos que se jueguen ganarías una vez y perderías cuatro. Esto significa que debes ver cuándo el bote tiene al menos cuatro veces el tamaño de la apuesta que tienes que hacer. En este caso, ya hay unos 5 000 € en el bote, diez veces la cantidad de la apuesta que debes hacer para quedarte, así que, en este caso, deberías ver la apuesta. Esto se conoce como *probabilidades del bote*, y comprenderlo a un nivel básico te hará ser un jugador mejor. De hecho, estás jugando a un juego de porcentajes, utilizando las matemáticas básicas para saber cómo llegar a ser ganador con mayor frecuencia.

Agresividad

En Texas Hold'em, la agresividad resulta eficaz y algunos de los jugadores más exitosos del mundo la emplean con una fuerza letal, en especial contra oponentes pasivos. En el siguiente ejemplo te han repartido un 7-3 desparejado, pero has decidido subir antes del *flop*, lo que ha obligado al resto de jugadores a abandonar, excepto al Jugador 2, que te ha visto con A-K.

Tu mano: 7s-3h

Jugador 2:   Ah-Kh.

Flop: 2s-10d-8c

El *flop* no ayuda a nadie, pero tú vuelves a apostar, sabiendo que el Jugador 2 es un jugador ajustado que solo apuesta cuando tiene la mejor mano. Tal y como esperabas, abandona su mano superior. Recuerda que en Texas Hold'em no necesitas tener la mejor mano, solo tienes que convencer a tu oponente de que la tienes. Y ser agresivo puede resultar devastador en un torneo, ya que los jugadores son reacios a perder sus fichas. Digamos que has logrado reunir unos 10 000 $ para participar en las World Series y el primer día estás en la posición del Jugador 2, que debe arriesgar todas sus fichas en una mano que no ha ligado nada. ¿Tú te las jugarías? Ya sabíamos que no.

AGRESIVIDAD

Tu mano

Mano del oponente

El flop

La única forma en la que puedes ganar esta mano es siendo agresivo. La agresividad es una de las claves del éxito en el Hold'em.

Farolear en Hold'em

Gracias a las cinco cartas comunitarias, el Texas Hold'em es perfecto para los faroles. En el siguiente ejemplo tienes la pareja superior y vas muy por delante en la mano cuando, de repente, en el *turn* cae un As.

Tu mano:	Kc-10c
Jugador 2:	10s-7h
Flop:	3s-Kd-4h
Turn:	As

FAROLEAR

Tu mano

Mano del oponente

El *flop*

El *turn*

Aunque estés ganando la mano, el As es una carta peligrosa que tu oponente puede *representar*.

Tu oponente no tiene ningún As, pero está bastante seguro de que tú tampoco, y lanza una gran apuesta. A esto se le llama *representar* y es una táctica muy común, a la par que eficaz, en Texas Hold'em. ¿Cómo puedes saber si tu oponente tiene un As o no? No hay forma de estar por completo seguro, pero al ver sus patrones de apuesta y buscar señales, puedes hacer una valoración. Si te lo puedes permitir, puedes ver su farol e incluso resubirle. Si no tiene el As, probablemente abandonará tan rápido que no verás sus cartas hasta que estén en la basura.

¿Quieres más?

Hold'em sigue unas reglas matemáticas relativamente estrictas y, si conoces lo básico, puedes mejorar tu juego. Lee los tres consejos que ofrecemos y juguetea con una calculadora para obtener estadísticas interesantes acerca de las probabilidades. Por ejemplo, ¿sabías que una pareja de Ases es favorita con un 80 % sobre cualquier otra pareja, o que cualquier pareja que se enfrente a dos cartas superiores apenas tiene un 50 % de posibilidades de ganar? Y, ¿qué te parece esto? Una pareja de Doses es la favorita contra A-K, pero es la perdedora (por poco) contra 10-J. Extraño, pero cierto...

Omaha

Es totalmente posible jugar solo a Texas Hold'em hasta el fin de tus días y no aburrirte nunca. Pero hazlo y te estarás perdiendo el juego con la mayor acción.

Omaha es el segundo juego de póker más popular del mundo y, a primera vista, se parece mucho al Texas Hold'em. De hecho, su estructura básica y su funcionamiento son muy semejantes, pero bajo la superficie se oculta una bestia totalmente distinta. La diferencia más importante reside en que en lugar de repartir dos cartas a cada jugador, se reparten cuatro.

Igual, pero distinto

Aparte de esto, el juego sigue la misma estructura: una ronda de apuestas seguida por el *flop*, otra ronda de apuestas antes del *turn*, otra antes del *river* y una ronda final. Y, gracias a esto, muchos jugadores de Texas Hold'em han pasado al Omaha y han fracasado. Porque, a pesar de las similitudes, unos ligeros cambios en las reglas hacen que las cosas cambien mucho.

Dos de cuatro

Y todas las diferencias surgen con las cuatro cartas de la mano y el hecho crucial de que en Omaha se deben usar dos y solo dos de esas cartas para hacer tu mano final. Lo que significa que…

· **Es más difícil manejar físicamente tus cartas.**
Esto puede parecerte una broma, pero si estás acostumbrado a manejar y a ojear dos cartas, intenta hacer lo mismo con cuatro. Verás que no es tan fácil, en especial cuando tengas que volver a verlas a medida que avance la partida y no debas dar información crucial a tus rivales. Los novatos pueden cometer la inocentada de coger sus cartas y colocarlas en orden numérico, lo que es algo semejante a ponerte un cartel luminoso sobre la cabeza en el que se lea «Dinero fácil».

· **En Omaha, los botes se suelen ganar con manos mucho más altas que en Texas Hold'em.**
Hay más cartas en juego, y las combinaciones que tú y tus oponentes podéis hacer logran que los monstruos aparezcan con bastante más frecuencia. Sigue llegando al enfrentamiento con una pareja y te vaciarán los bolsillos con mayor rapidez que en la ruleta.

· **Pero la diferencia más importante reside en que solo puedes jugar con dos cartas de tu mano.**
Recuerda que en Texas Hold'em puedes jugar con todas o ninguna de las cartas de tu mano, dependiendo de lo que haya en la mesa. En Omaha no, y este giro tan sencillo cambia por completo el juego. ¿Por qué?

Mira las cartas de tu mano y contempla un póker. ¿A que está bien? Pues no. Como solo puedes usar

---

OMAHA HOLD'EM
Cuatro cartas en tu mano

Si te reparten cuatro cartas, es que estás jugando al Omaha.

dos cartas de las cuatro de tu mano, lo mejor que vas a tener en el enfrentamiento va a ser una pareja. (Y si te has leído todo lo anterior en orden, ya sabrás que en Omaha una pareja no es gran cosa.) No puedes hacer ni un color ni una escalera porque tienes que usar dos cartas de las cuatro (y ninguna escalera o color tiene una pareja) y no puedes hacer un trío, ya

MÁS CERCA

J1		30%
J2		18%
J3		31%
J4		20%

Descubrirás que con cuatro cartas en la mano no hay muchas manos iniciales que sean las grandes favoritas.

CONSEJO

Estás mirando a una mesa con cuatro corazones en ella. En tu mano tienes dos, pero te preocupa que los otros jugadores vayan a hacer colores más altos. Cualquier apuesta en Texas Hold'em haría que tuvieses que abandonar tu mano, pero en Omaha, tu oponente debe tener dos corazones en la mano para hacer el color. No puede usar los cuatro de la mesa, solo tres y los dos de su mano. El hecho de que tú tengas al menos dos y el cuarto esté en la mesa hace más improbable que este sea el caso.

que tienes las otras dos cartas en tu mano. Así que la peor mano inicial que te pueden repartir en Omaha son cuatro Doses. Por esta razón, no existe una lista fija de manos iniciales que puedan considerarse las más fuertes. De hecho, dada la cantidad de combinaciones que pueden surgir con las cuatro cartas (y utilizando únicamente dos), pocas manos iniciales de Omaha tienen demasiada ventaja sobre otra.

En Texas Hold'em es fácil ver qué mano inicial es claramente favorita. En Omaha todo está bastante ajustado, como puedes ver en las siguientes manos.

Jugador 1:	As-Ad-9c-10c	30%
Jugador 2:	5c-Jh-3h-4h	18%
Jugador 3:	5s-6s-Qh-Kh	31%
Jugador 4:	7c-8c-10s-10d	20%

A primera vista quizás te parezca que el Jugador 1 tiene gran ventaja, con una pareja de Ases y dos cartas conectadas emparejadas. Pero de hecho, el Jugador 3, con dos conectores emparejados (dos posibilidades de color con las dos picas y los dos corazones), es el favorito por poco. Ninguna de las cuatro manos tiene mucha ventaja y por eso Omaha proporciona mucha más acción que una partida de Hold'em, en la que abandonar antes del *flop* es mucho más común. Y también se farolea menos. No es que no se haga (se hace), pero necesitas ser muy agresivo y tener mucha confianza y experiencia para hacerlo.

Normalmente, la mano máxima, o más cercana a la máxima, ganará y, debido al número de cartas y combinaciones en juego, esta mano suele ser mucho mayor que una mano ganadora de Hold'em. Pero también hay malas noticias. Si odias las matemáticas, las probabilidades y las posibilidades, mantente alejado. A falta de faroles y debido a que Omaha se juega con un formato de límite o límite de bote, en el que la mejor mano cambia constantemente, el juego depende de las matemáticas. ¿No te gusta? Sigue jugando a Texas Hold'em.

Manos iniciales *premium*

¿Qué es una mano inicial *premium* en Omaha? Es importante que todas tus cartas trabajen en equipo. Así que una mano de 10-J-Q-K (con dos palos diferentes) es excelente. Lo que no quieres es una mano con una carta sin conexión alguna, como A-K-J-4. Al Cuatro de esta mano se le conoce como *colgado* y como todos los demás colgados es algo que no quieres ver. Te ha costado una cuarta parte de tu mano desde el principio y te ha puesto en gran desventaja. Si todavía no sabes cómo hacer una buena mano de Omaha, lee lo siguiente...

· cartas altas
· cartas conectadas (para las escaleras)
· cartas para proyectos de color máximo
· cartas para proyectos de póker o *full*

High o Hi/Lo

¿Sigues con nosotros? Bien, porque las cosas se van a complicar aún más. Omaha se juega con dos formatos diferentes, Omaha High y Omaha Hi/Lo (también conocido como *ocho-o-mejor*). Omaha High es fácil de entender porque sigue las mismas reglas básicas que el Texas Hold'em, en el que la mano más alta gana el bote. Pero en Omaha Hi/Lo, el bote se reparte entre las manos más alta y más baja, siempre y cuando la mano baja se clasifique.

Para que pueda clasificarse una mano baja, debe tener cinco cartas con nada que sea más alto que un Ocho. Los Ases cuentan como carta alta y baja, y los colores y escaleras se ignoran para la mano baja, así que la mano más baja es A-2-3-4-5. Se aplican las mismas reglas que en Omaha, de modo que debes usar dos cartas de tu mano, y para que haya una mano baja, tiene que haber tres cartas que sean Ochos o inferiores en la mesa. Si no hay una mano baja que se clasifique, la mano alta se lo lleva todo. Sin duda, este juego es perfecto para lanzárselo a tus amigos durante una partida casera. No sabrán lo que les golpeó.

Resumen

- El Texas Hold'em es el juego de póker más popular. Aprender lo básico es extremadamente fácil, pero dominarlo es increíblemente difícil.
- La posición y la selección de manos iniciales son vitales.
- No deberías jugar lento las parejas altas.
- O seguir manos improbables.
- La agresividad suele dar su recompensa.
- Un conocimiento básico de probabilidades es vital.
- Si te han repartido cuatro cartas, estás jugando al Omaha.
- Por tanto, las manos son mucho más fuertes y las matemáticas son aún más importantes.
- Si estás jugando a Omaha Hi/Lo, eres una persona muy valiente.

Stud

«Intenta decidir lo buena que es tu mano
en un momento dado. No importa
nada más. ¡Nada!»
DOYLE BRUNSON (jugador de póker profesional)

En este capítulo aprenderás que...

El Stud es, probablemente, la variante más complicada
que existe. Se juega con una mezcla de cartas cubiertas
y descubiertas, lo que significa que hay una cantidad
enorme de información disponible, algo que los mejores
jugadores sabrán usar en su propio provecho. Si quieres
triunfar, deberás tener disciplina, estar preparado para
concentrarte, dominar complejas estrategias y aprender
variaciones populares antes de poder llamarte siquiera
jugador. Y, aquí, estar preparado para abandonar una mano
cuando creas que estás perdiendo es aún más importante
que en cualquier otro juego. Pero no es nada fácil...

Steve McQueen
juega a Stud en
la película clásica
El rey del juego.

Póker Stud

Antes de que el Texas Hold'em se hiciera tan conocido en el mundo del póker, el Stud de siete cartas era el juego al que había que jugar. Muy distinto del Hold'em, exige paciencia, gran capacidad de atención y una mente analítica.

Si todo esto te atrae, el Stud podría ser el juego de póker que estabas buscando. Un gran número de jugadores desprecia el Hold'em y lo califica de simplista. Cuando juegas al Stud, además de comprobar tu propia mano, tienes que ser completamente consciente de todas las cartas de la mesa, incluidas las que tus contrarios tienen a la vista. Aunque hay algunas cartas ocultas, la mayoría están a la vista, y te proporcionan muchísima información que debes tener en cuenta. Es un juego de póker bastante complicado, de manera que solo deberías jugar a él cuando estés descansado, concentrado y puedas rendir al cien por cien.

Cómo se juega

El Stud de siete cartas es, por lo general, un juego de límite fijo que consta de dos a ocho jugadores. Para empezar, todos deben poner un ante (por lo general, una cuarta parte del límite inferior) que va al bote inicial. Después de poner los antes, cada jugador

Los juegos de Stud se distinguen por algunos detalles simples. No hay cartas comunitarias pero algunas cartas de los jugadores quedan expuestas a todos. Se juega a variantes de cinco cartas, pero, sin duda, la mas popular es el Stud de siete cartas.

STUD DE SIETE CARTAS

Ronda 1			2	3	4	5
Ocultas	Puerta		4.ª calle	5.ª calle	6.ª calle	River

El Stud a menudo se describe como una «serie de calles» por la numeración de sus rondas de apuestas.

recibe tres cartas, dos ocultas y una descubierta, que se denomina *tercera calle*. El jugador que muestra la carta más baja debe hacer una apuesta obligatoria de la mitad del límite inferior (conocida como *apuesta de entrada* o *la cantidad completa del límite inferior*). Todos los demás jugadores, en orden y empezando por el jugador situado a la izquierda de quien ha realizado la primera apuesta, tienen que abandonar, ver o subir.

Si el jugador inicial solo apuesta la apuesta de entrada, el resto de jugadores puede decidir ver esta cantidad o completar la apuesta al límite inferior. En esta ronda de apuestas, las unidades siguen el límite inferior, así que en una partida de alrededor de 1/2 €, todas las apuestas y subidas se producirían en incrementos de 1 €. Y, al igual que en muchos juegos con límite, solo se permiten tres subidas como

Stud de siete cartas: secuencia de juego

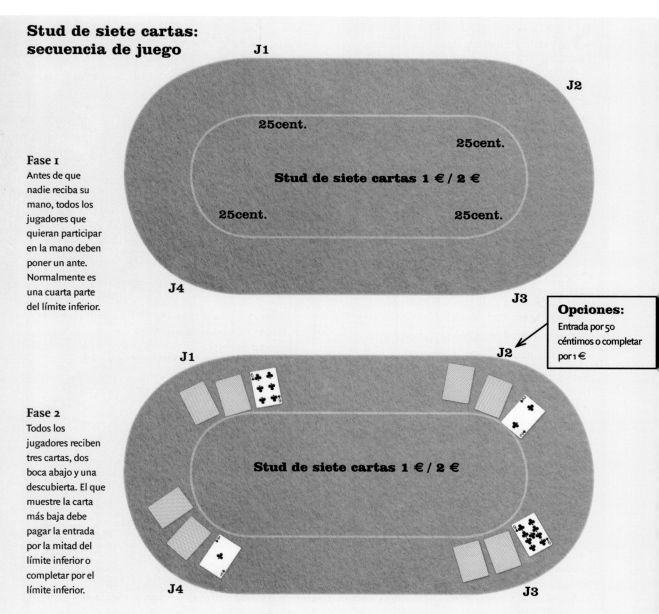

Fase 1
Antes de que nadie reciba su mano, todos los jugadores que quieran participar en la mano deben poner un ante. Normalmente es una cuarta parte del límite inferior.

J1

J2

25cent.

25cent.

Stud de siete cartas 1 € / 2 €

25cent.

25cent.

J4

J3

Opciones:
Entrada por 50 céntimos o completar por 1 €

Fase 2
Todos los jugadores reciben tres cartas, dos boca abajo y una descubierta. El que muestre la carta más baja debe pagar la entrada por la mitad del límite inferior o completar por el límite inferior.

J1

J2

Stud de siete cartas 1 € / 2 €

J4

J3

máximo antes de considerar que el bote ha llegado al tope y esa ronda de apuestas se cierra. (Ver el capítulo de Apuestas para una explicación completa de las apuestas en los juegos con límite y los topes.)

En la cuarta calle, todos los jugadores reciben una cuarta carta boca arriba y las apuestas de esta ronda empiezan con el jugador que muestra la carta más alta. Puede pasar o apostar, con la apuesta mínima ya fijada por el límite inferior. La excepción a esta regla se produce si hay una pareja expuesta. En este caso, el jugador activo puede apostar el límite inferior o superior. Si el jugador opta por hacer una apuesta al límite superior, todas las demás apuestas y subidas deben estar al mismo nivel. Entonces se reparte la quinta calle, una vez más boca arriba. A partir de esta ronda de apuestas, todas deben hacerse en incrementos del límite superior. La sexta calle es idéntica y la séptima calle que se reparte a los jugadores, el *river*, es una carta oculta final. Tras

Fase 3

A todos los jugadores se les reparte ahora la cuarta calle y comienza una ronda de apuestas por las cartas más altas que haya descubiertas. Puesto que hay una pareja descubierta, el jugador puede escoger entre liderar las apuestas con el límite inferior o superior. Si no hubiera una pareja descubierta, las apuestas se limitarían al límite inferior.

Fase 4

Ahora se les reparte a todos los jugadores la quinta calle y la ronda de apuestas la vuelve a empezar la mano descubierta más alta. A partir de esta ronda, todos los incrementos de las apuestas se hacen siguiendo el límite superior. A continuación llega la sexta calle, que sigue las mismas reglas.

la ronda final de apuestas, los jugadores que queden pasan al enfrentamiento (es decir, muestran sus cartas) y el jugador con la mano de póker de cinco cartas más alta realizada con sus siete cartas gana el bote. Como puedes ver en el sencillo ejemplo que se muestra más adelante, en todo momento hay un montón de cartas en juego. Esto significa que, en una mesa completa, puede ser difícil seguir el rastro a todas las cartas descubiertas y cómo se van desarrollando las manos

CONSEJO

Si dos jugadores muestran la misma carta baja en la «tercera calle», puedes utilizar el rango del palo para acabar con el empate. La fuerza de los palos es, de mayor a menor: picas-corazones-diamantes-tréboles.

Fase 5

Tras la sexta calle y su ronda de apuestas, se le reparte a cada jugador la última carta boca abajo, el river. Y hay una ronda final de apuestas, que sigue las reglas anteriores.

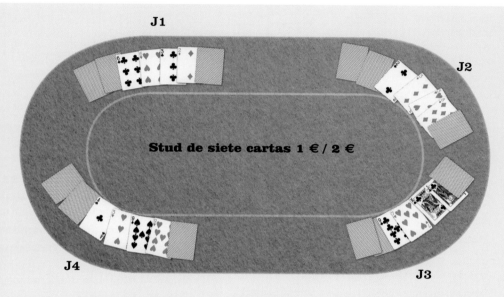

Fase 6

Una vez han terminado las rondas de apuestas, todos los jugadores activos muestran sus manos completas, seleccionando sus cinco mejores cartas entre las siete a las que tienen acceso.

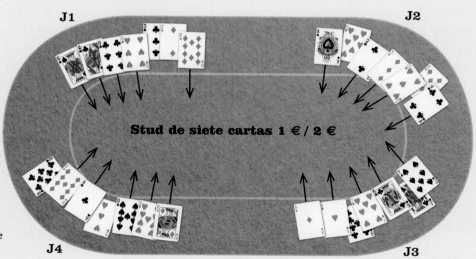

Stage 7

Con sus siete cartas, el Jugador 1 tiene una pareja de Seises. El Jugador 2 tiene una escalera del As hasta el Cinco (también conocida como *rueda*). El Jugador 3 tiene dobles parejas: Ases y Sietes, con un Rey como *kicker*. El Jugador 4 tiene un trío de Nueves. La escalera del Jugador 2 gana.

J1

J2 (GANADOR)

Stud de siete cartas 1 € / 2 €

J4

J3

---

de tus oponentes respecto a la tuya. En una partida en directo, esto es incluso más estresante porque parece que cada centímetro de la mesa está cubierto de cartas, pero es vital que uses toda la información disponible. Si un jugador muestra una pareja pero las otras dos cartas de ese valor están a la vista en manos de otros jugadores, ya sabes que no podrá hacer un trío.

Un resumen mental

Como en una mesa de Stud de siete cartas hay mucha acción, vas a tener que desarrollar tus propios sistemas y procesos internos para recordar toda la información. A medida que los jugadores abandonen durante la ronda, el repartidor recogerá sus cartas. Si no memorizas lo que ya estaba a la vista, estarás en desventaja con respecto a los jugadores más atentos. Si alguna vez crees que le has perdido la pista al progreso de una mano, abandona.

CONSEJO

La decisión más importante del Stud de siete cartas reside en saber si debes seguir después de que se repartan las tres primeras cartas. Si estas tres cartas no te dan muchas opciones, es que no vale la pena jugarlas.

Aquí tienes una lista de las cosas a las que deberías prestar atención:

- **Cartas:** tras el reparto inicial y antes de que cualquiera haya tenido la oportunidad de abandonar, intenta memorizar tantas puertas (cartas boca arriba) como puedas.
- **Palos:** cuenta cuántas cartas de cada palo están a la vista.
- **Valor:** fíjate en los números que puedes ver.
- **Entrada:** toma nota mentalmente si el jugador de la apuesta de entrada ve cualquier subida.
- **Subidas:** recuerda quién es el primer jugador en subir, en el caso de que lo haya.

Todos estos puntos son más importantes que comprobar tu propia mano. Las buenas noticias es que tu mano no irá a ninguna parte hasta que decidas qué hacer. Alguna de la información que tienes disponible pronto podría desaparecer y, cuanto más sepas, más fuerte será tu posición. Un jugador al que le repartan una pareja de Nueves puede invertir más dinero para ver si las cosas mejoran. Si te hubieras fijado en un Nueve que fue repartido, pero que su jugador abandonó, hubieras podido ajustar, en consecuencia, tus expectativas de proyectos.

Mirones

Con tanta información disponible y la oportunidad de mejorar las manos en cada turno, el Stud de siete cartas genera mucha acción y un gran número de jugadores cae en la trampa de ver demasiadas apuestas. No actúes de este modo, pues la mejor táctica es jugar como una roca. Aunque tengas que esperar a que tus cartas iniciales sean una pareja fuerte, conectadas o emparejadas, probablemente seguirá habiendo jugadores dispuestos a ver tus apuestas, de modo que no te preocupes demasiado por tu imagen en la mesa.

Información de la mesa

Si has abandonado una mano, no te distraigas. Además de la oportunidad de aprender algo sobre tus compañeros de mesa, puedes seguir entrenándote

en el arte de acumular información. Tu objetivo es preparar tu cerebro hasta tal punto que con solo echar un vistazo a la mesa tengas una excelente imagen mental de cuántos palos han salido y qué cartas altas se han repartido.

Jugar parejas

La mejor mano inicial en el Stud de siete cartas es un trío, aunque una pareja de Ases o de Reyes también es muy fuerte, en especial si está oculta. Con ellas deberías apostar fuerte, pero tienes que aceptar que si al llegar a la quinta carta no has mejorado y ha habido muchas apuestas y subidas, probablemente

Información de la mesa

Al llegar a la quinta calle, cada jugador tiene tres cartas descubiertas, de modo que hay muchísima información sobre la mesa. El Jugador 1 muestra una pareja de Reyes, pero, como el Jugador 2 y el Jugador 4 también tienen un Rey, el Jugador 1 no podrá farolear (es decir, apostar como si tuviera un Rey oculto para hacer un trío).

J1 J2

Stud de siete cartas 1 € / 2 €

Abandona

J4 J3

debas abandonar. Aunque resulta más fácil decirlo que hacerlo, cuando llegues a los suficientes enfrentamientos de Stud de siete cartas con solo una pareja alta, comprenderás lo sabio que es este consejo. Esta decisión debería ser más fácil a medida que tus *outs* aparezcan en las manos de los demás.

Sin límite/límite de bote

Aunque el Stud de siete cartas es tradicionalmente un juego de límite, la popularidad de los juegos sin límite y con límite de bote ha hecho que la mayoría de páginas *online* los tengan en su oferta, aunque no las salas de póker. La mecánica es básicamente la misma, con idénticas reglas para ver quién empieza las rondas de apuestas y cuáles deben ser las apuestas mínimas. Obviamente, en el caso de los juegos sin límite o límite de bote, el máximo de apuestas en una ronda ya no depende de la ley «una apuesta, tres subidas». En el límite de bote puedes ver la apuesta que han hecho antes de ti y después subir de nuevo la cantidad completa del bote. Si el bote es de unos 100 € y la apuesta ante ti es de unos 20 €, puedes añadir los 20 € al bote para ver y después subir 120 € más para hacer que el bote sea de unos 240 €. Si juegas sin límite, puedes subir y resubir todo lo que quieras y puedes restarte en cualquier momento. Pero hay ciertas reglas que gobiernan las partidas sin límite; puedes encontrar más información en el capítulo donde se trata de las apuestas.

River comunitario

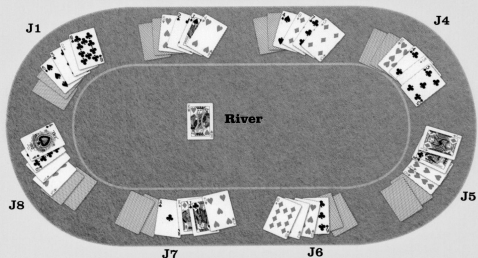

Una mesa completa de ocho jugadores significa que hay 48 cartas en juego y que no hay suficientes para repartir el *river*. En este caso (bastante raro), se pone una carta comunitaria en la mesa, un *river* para todos.

Manos iniciales

Al repartirte tres cartas te puedes encontrar con manos iniciales antes de que se haya empezado siguiera a apostar. A continuación se muestran los principales grupos en los que entran estas manos, junto con varios consejos. Recuerda que los consejos están pensados para jugadores en partidas de apuestas bajas que jueguen relativamente ajustados.

Conectadas

Tienes tres cartas conectadas y eso cuenta como una mano fuerte, ya que dispones, por lo menos, de ocho *outs* para completar una escalera y todavía te faltan cuatro cartas. Obviamente, al ver las cartas descubiertas del resto de jugadores, podrás recalcular tus probabilidades. Si dos o más de las cartas de tu mano son del mismo palo, tus expectativas mejorarán y, cuanto más altas sean las cartas, mejor (para tener posibilidades de hacer parejas altas).

Combos

Para que una mano inicial se considere jugable, debe contener una combinación de cartas que ofrezcan varias clases de *outs*. Al principio, no quieres perder un tercio de tu mano potencial. La mano que aparece aquí cuenta como jugable, ya que tiene cartas ocultas que pueden crear parejas altas, cartas que pueden llegar a hacer una escalera y dos cartas emparejadas que pueden llegar a ser un color relativamente alto. Si las tres cartas de tu mano inicial son altas, la estadística afirma que, si haces una pareja, será la mejor pareja posible. Esto, por supuesto, no tiene en cuenta a cualquier pareja oculta que tenga alguno de tus oponentes en su mano. Además, si la carta más baja de tu mano inicial es más alta que cualquier otra carta a la vista en la mesa, estarás en buena forma.

A por el color

Si recibes tres cartas iniciales del mismo palo, siempre vale la pena jugarlas, a menos que en la mesa ya haya a la vista más de dos cartas de ese palo. Si tu mano inicial también contiene cartas altas (que puedan convertirse en parejas o tríos fuertes), o cartas conectadas (que puedan hacer una escalera), deberías tenerlo en cuenta cuando decidas si continúas o no.

Tríos

La mano más fuerte que te pueden repartir en el Stud de siete cartas es un trío «escondido». Pero tienes que prestar mucha atención a las cartas del resto de jugadores. Si tu trío es bajo, es fácil que te lo aplasten, y deberías estar totalmente preparado para tirar esas cartas si contra ti hay un montón de posibles colores o escaleras fuertes y las apuestas y las subidas son agresivas. Muchísima gente pierde bastante dinero cuando les reparten tríos escondidos, y todo ello porque no los dejan marchar.

Cierra la puerta

Cuando empieces una nueva sesión con jugadores nuevos, juega solo los Ases a la vista si con ellos puedes subir. De lo contrario, abandónalos y asegúrate de hacerlo lentamente para que todo el mundo pueda ver que has tirado un As. Más adelante, puede que descubras que puedes ganar botes sin oposición (ya que los jugadores han visto cómo eras capaz de tirar Ases) cuando hagas subidas en la misma situación. Probablemente pensarán: «Si antes tiró un As y ahora está subiendo con uno, ¡es que debe tener al menos una pareja!».

Otras estrategias

Cuando juegues, ten en mente estos seis puntos y serás un jugador de Stud ganador.

• **La decisión más importante en Stud** es si debes continuar más allá de las cartas iniciales. Pagar la cuarta carta puede resultar caro, incluso al comienzo de la mano. Hazlo solo si de verdad crees que puedes ganar, y, de la misma forma, debes estar dispuesto a tirar la mano si la cuarta carta por la que pagas no cumple tus expectativas.

• **Cuidado con las parejas a la vista.** Si un oponente está jugando una pareja dividida en su mano inicial (es decir, una carta a la vista y una oculta), y entonces empareja su carta puerta en la cuarta calle, hay muchas posibilidades de que ahora tenga un trío.

• **Presta atención a la mesa en busca de cartas clave** que afecten a tus posibilidades de completar una mano. Solo vale la pena jugar una pareja baja si, además de la fuerza de una pareja, tiene el potencial de convertirse en un trío. Jugar 7-7 no tiene sentido si ya sabes que los otros dos Sietes ya no están en juego (están en las manos de otros o ya están en la basura entre las manos abandonadas).

• **Estate atento a buenas razones para abandonar.** Puede parecer una tontería, pero si buscas buenas razones para abandonar y no las encuentras, es que puedes seguir jugando la mano. Busca en especial las cartas muertas o descubiertas que afecten a tu estrategia. Para continuar una mano, te sentirás mucho más confiado si te has puesto a prueba y has terminado sonriendo.

• **Vigila a tus oponentes,** igual que en cualquier juego de póker. Si tiras tu mano inicial, puede que tengas bastante tiempo hasta que empiece la siguiente mano, así que aprovéchalo y vigila a tus oponentes. Debido al gran número de cartas que van y vienen en el Stud de siete cartas, muchos principiantes tienen problemas para recordar todas sus cartas y las de sus oponentes, así que usa el tiempo del que dispones cuando no estés en una mano con el fin de recabar toda la información que puedas.

• **Adáptate al entorno.** Si te encuentras rodeado de jugadores débiles y pasivos que tienden a pasar hasta que logran una mano, aprovéchate. Aunque no sea normalmente tu estilo, intimida a esos jugadores lo bastante inocentes como para pasar cuando estés en una de las últimas posiciones. Si te pillan, puedes utilizar esta maniobra como una oportunidad para cosechar lo que has sembrado en sus mentes: que eres un farolero salvaje y desbocado. Si, en cambio, todos los de tu mesa parecen ser unos maníacos que apuestan y suben con cada bote, entonces relájate y navega por la tormenta. Cada mano que abandones solo te costará un ante pequeño, y con solo ganar un bote cada hora ya obtendrás beneficios. No te involucres con los locos a menos que esa sea tu voluntad.

Probabilidades de manos iniciales

Ciega pequeña	%	Probabilidades contra ser repartido	Número de posibles combinaciones
3 x Aces	0,02	5 524-1	4
3 x Jotas a Reyes	0,05	1 841-1	12
3 x Seises a Dieces	0,09	1 104-1	20
3 x Doses a Cincos	0,07	1 380-1	16
Pareja de Ases	1,30	75,7-1	288
Pareja de Jotas a Reyes	3,91	24,6-1	864
Pareja de Seises a Dieces	6,52	14,3-1	1440
Pareja de Doses a Cincos	5,21	18,2-1	1152
Tres cartas para escalera color	1,16	85,3-1	256
Tres cartas para color	4,02	23,9-1	888
Tres cartas para escalera	17,38	4,76-1	3840
Cualquier trío	0,24	4,24-1	52
Cualquier pareja	16,94	4,90-1	3744

Puntos clave: 1) Los tríos de mano no salen a menudo, así que aprovéchalos al máximo cuando puedas. Tus oponentes también serán conscientes de las probabilidades de estrellarse contra un trío oculto desde la tercera calle, así que exprímelos todo lo que puedas. 2) Debido a las combinaciones posibles, recibir tres cartas con posibilidades de escalera es más frecuente que recibir una pareja. Sin embargo, DEBES ser capaz de tirar esas cartas si no mejoran. Vigila las otras cartas descubiertas de la mesa para evaluar tus posibilidades de completar una escalera fuerte.

Variantes del Stud

El Stud de siete cartas puede ser el juego de Stud más popular, pero hay numerosas variantes a las que puedes jugar una vez hayas dominado los principios básicos.

Stud de cinco cartas

El Stud de cinco cartas sigue la mayoría de las reglas con las que ya estás familiarizado, pero con solo cinco cartas. La secuencia de juego es, obviamente, más corta, pero la premisa es la misma: algunas de tus cartas están ocultas, pero la mayoría están descubiertas.

Secuencia de juego

Siguiendo un ante puesto por todos los jugadores, todos reciben una carta boca abajo y otra boca arriba. El jugador con la carta descubierta más baja debe hacer la apuesta de entrada y los jugadores siguientes deben verla, subir o abandonar. Entonces se reparte a todos los jugadores una tercera carta descubierta, seguida por una ronda de apuestas que debe empezar el jugador que muestre la mano más fuerte. Si varios jugadores muestran la misma mano, la acción debe empezar por el jugador que esté más cerca a la izquierda del repartidor. Se reparte una cuarta carta descubierta a todos los jugadores, seguida de la cuarta ronda de apuestas según las reglas estándar. Se reparte una quinta y última carta descubierta a todos los jugadores y se juega la última ronda de apuestas.

Stud de siete cartas Hi-Lo

El Hi-Lo es una variante muy popular del Stud de siete cartas.

En Hi-Lo, cada bote lo gana una mano alta y cualquier mano baja que se clasifique. Para que una mano se clasifique como baja, ninguna de sus cinco cartas debe ser más alta que un Ocho. Las parejas cuentan como

Stud de cinco cartas

Fase 1
¡A cada jugador se le reparte una carta boca abajo y una carta boca arriba. Si se utiliza la apuesta de entrada, el jugador con la carta de menor valor empieza la secuencia. De lo contrario, empieza la carta descubierta más alta.

J1

J2

Stud de cinco cartas 1 € / 2 €

Entrada

J5

J3

J4

Fase 2

Tras el enfrentamiento, todos los jugadores activos deben mostrar sus cartas. Aquí vemos que el Jugador 1 tenía un As oculto con el que ha hecho una pareja, mientras que el Jugador 5 también ha hecho una pareja. El jugador 2 tiene la mano ganadora: dobles parejas de Reyes y Cuatros.

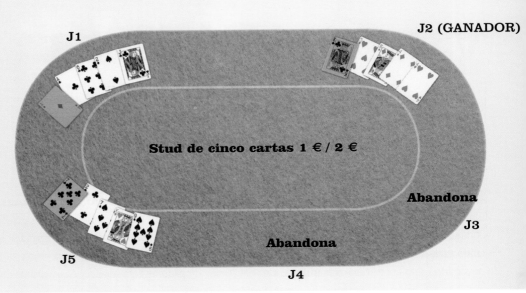

altas y bajas, pero las escaleras y colores pueden seguir clasificándose para mano baja, de modo que la mejor mano baja sería A-2-3-4-5. Si tienes en cuenta que debes hacer la mejor mano de cinco cartas con las siete que tienes, es posible que un jugador con A-2-3-4-5 como mano baja también gane la alta con 3-4-5-6-7 si esas fueran las siete cartas que tuviera.

Hi-Lo

Jugador 1

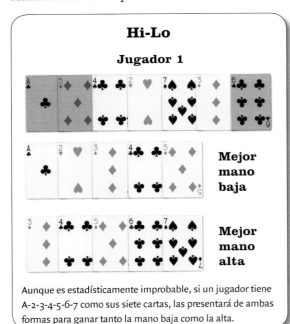

Mejor mano baja

Mejor mano alta

Aunque es estadísticamente improbable, si un jugador tiene A-2-3-4-5-6-7 como sus siete cartas, las presentará de ambas formas para ganar tanto la mano baja como la alta.

Estrategia Hi-Lo

Lo más importante que debe tenerse en cuenta en las partidas de Hi-Lo es la diferencia que existe entre ganar la mitad del bote y conseguir el bote entero. Los principiantes tienden a pensar que vale la pena pagar para ganar la mitad del bote, pero la verdad es que no vas a sacar mucho más de lo que metas. Los buenos jugadores de Hi-Lo a menudo tienen que conformarse con solo la mitad y a veces con nada, pero siempre juegan manos en las que al menos tengan posibilidades de llevárselo todo. Normalmente no suele valer la pena luchar para ganar una mitad.

Manos iniciales fuertes en Stud de siete cartas Hi-Lo

- trío
- tres cartas bajas para una escalera de color (por ejemplo, 7s-4s-3s)
- tres cartas bajas para una escalera (por ejemplo, 6h-4s-2c)
- tres cartas bajas para un color (3c-6c-8c)
  Nota: con las tres manos iniciales posteriores deberías pasar-abandonar si la mano no mejora con la siguiente carta y si te enfrentas a dos o más proyectos de manos más bajas.
- tres cartas bajas que incluyan un As (por ejemplo, 8-4-A)

Resumen de mano Hi-Lo

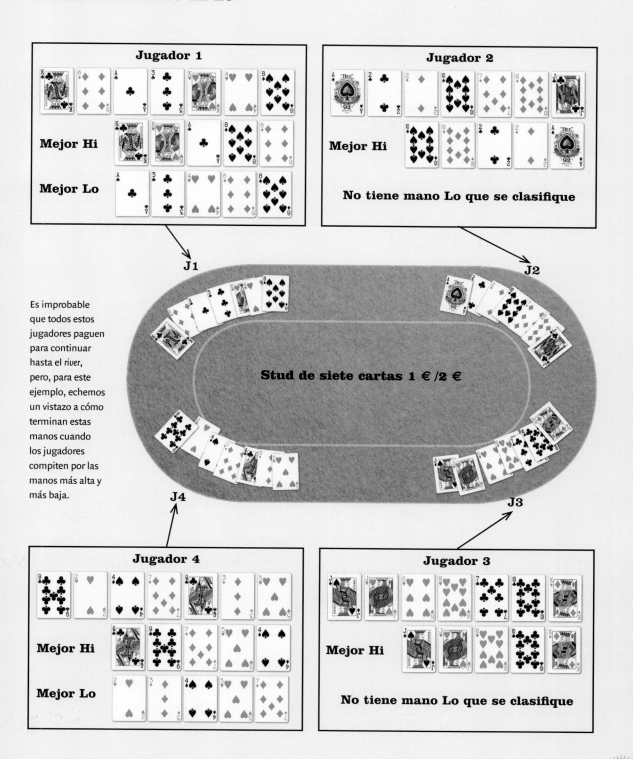

Jugador 1

Mejor Hi

Mejor Lo

Jugador 2

Mejor Hi

No tiene mano Lo que se clasifique

Es improbable que todos estos jugadores paguen para continuar hasta el *river*, pero, para este ejemplo, echemos un vistazo a cómo terminan estas manos cuando los jugadores compiten por las manos más alta y más baja.

J1

J2

Stud de siete cartas 1 € /2 €

J4

J3

Jugador 4

Mejor Hi

Mejor Lo

Jugador 3

Mejor Hi

No tiene mano Lo que se clasifique

- una pareja baja más un As (por ejemplo, 6-6-A)
- pareja de Nueves o Dieces con un As (por ejemplo, 9-9-A o 10-10-A)

  Nota: con cada una de estas manos, debes ser capaz de tirarlas si no mejoran con la siguiente carta. Más allá de esta carta, el coste de jugarlas se dispara. No caigas en la tentación de cruzar los dedos y seguir pagando manos perdedoras.

- pareja alta, oculta o dividida (AA, KK o QQ)

Razz

El Razz es otra de las variantes más populares del Stud de siete cartas, probablemente porque se parece mucho al juego original. Esto significa que los novatos pueden aprender rápidamente y sin problemas. Al Razz se juega exactamente igual que al Stud de siete cartas, con la diferencia de que las únicas manos que cuentan son las bajas de As a Cinco. En Razz, la apuesta de entrada la hace quien

Razz: secuencia de juego

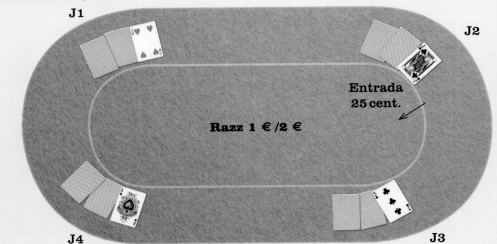

Fase 1
El Jugador 2 tiene la carta más alta (en el Razz, el As del Jugador 4 es carta baja), de modo que debe pagar la entrada.

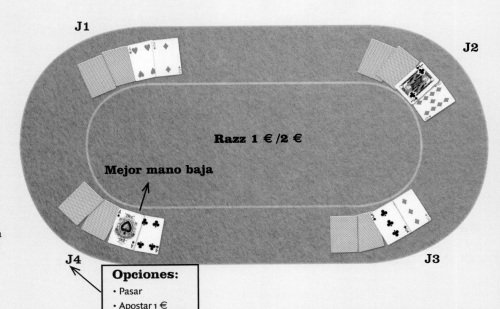

Fase 2
El Jugador 4 muestra la mano más baja e inicia la siguiente ronda de apuestas.

Opciones:
- Pasar
- Apostar 1 €

Fase 3

Debido al Rey que le ha llegado a la mano al Jugador 4, el Jugador 1 tiene ahora la mano más baja y empieza la ronda de apuestas. Como ya estamos en la quinta calle, los incrementos de apuestas ya están al nivel superior, al igual que en el Stud de siete cartas.

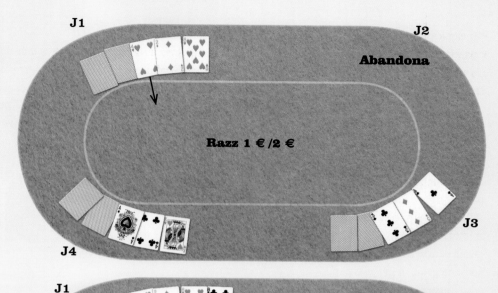

J1

J2

Abandona

Razz 1 € /2 €

J3

J4

Fase 4

La llegada de un segundo Ocho hace que el Jugador 3 tenga ahora la mano más baja (pareja de Treses contra pareja de Ochos).

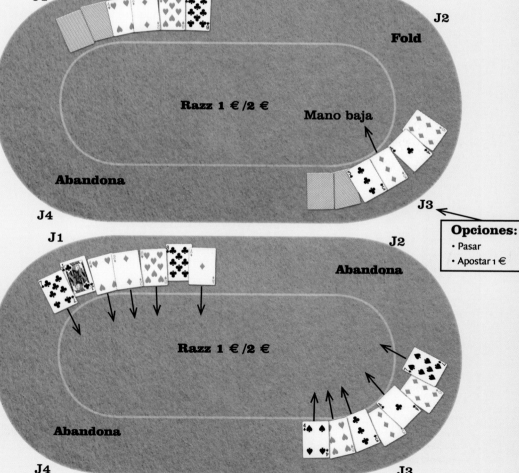

J1

J2

Fold

Razz 1 € /2 €

Mano baja

Abandona

J4

J3

Opciones:
- Pasar
- Apostar 1 €

Fase 5

Una vez se ha repartido la última carta boca abajo y tras la última ronda de apuestas, los dos últimos jugadores muestran sus cartas para ver quién tiene la mano más baja. Aquí, el J2 gana con un Siete como su carta más alta.

J1

J2

Abandona

Razz 1 € /2 €

Abandona

J4

J3

tiene la carta puerta más alta (en lugar de la más baja, como en el Stud de siete cartas), mientras que las apuestas de la segunda y siguientes rondas las empieza la mano más baja descubierta. La mejor mano de cinco cartas posible en Razz es A-2-3-4-5. Nota: en Razz, el As siempre es carta baja.

Sigue a la Reina

Existen muchas variantes de póker divertidas que puedes jugar en tus partidas caseras, como Sigue a la Reina. Este juego es básicamente el mismo que el Stud de siete cartas, pero tiene un comodín, que puede contar como cualquier carta de la baraja. Lo interesante es que el comodín no se define hasta que se está jugando la partida y puede cambiar en mitad de una mano. Todos deben esperar hasta que, durante la partida, se haya repartido una Reina descubierta a un jugador. La siguiente carta que se reparta será el comodín.

Las malas noticias (para el jugador que sigue a la primera Reina) es que si aparece otra Reina en otro punto, la carta que sigue a esa Reina pasará a ser el comodín y anula al comodín anterior. Esto puede destrozar las apuestas que se hicieron con el primer

Una revista de Razz muy educativa.

comodín (razón por la que no es demasiado probable que veas con frecuencia este juego con apuestas altas en tu casino más cercano). Y, para añadir una nota final, si la última carta descubierta en una partida es una Reina, todos los comodines se anulan y juegas la partida como si fuera una mano de Stud de siete cartas convencional. Es un juego divertidísimo a nivel social, ya que los valores de las manos cambian constantemente. Si alguna vez ha existido un juego para poner a prueba la cara de póker de la gente, ¡sin duda es Sigue a la Reina!

Sigue a la Reina

Al repartir la primera carta de la cuarta calle al Jugador 2, illega la Reina! La siguiente carta se definirá como el comodín. El Jugador 3 es el siguiente en recibir una carta y consigue un Seis. Ahora, los Seises son comodines para el resto de la mano. ¡Es una gran noticia para el Jugador 1 y cualquiera que tenga un Seis oculto en su mano!

J1

J2

Sigue a la Reina 1 € /2 €

Llega la reina

Comodín

J4

J3

Resumen

- Todavía puedes encontrar Stud de siete cartas en las partidas en vivo y las salas de póker *online*.

- Pero probablemente es la variante de póker más complicada a la que puedes jugar.

- La única forma de ganar es prestar mucha atención a la partida.

- Así que es conveniente tener buena memoria.

- La habilidad más importante es poder abandonar las cartas.

- Si tienes un criterio estricto sobre manos iniciales, a la larga ahorrarás dinero.

- Sigue a la Reina es muy divertido para jugar en casa.

¿Puedes recordar cuántos palos había en la mesa?

Draw

«¿No es ese el juego en el que te dan
cinco cartas y si dos se parecen mucho
está bien, pero si se parecen tres
es aún mejor?»
W. C. Fields

En este capítulo aprenderás que...

Cuando eras joven, jugabas al Draw y sencillamente le llamabas
póker. Se considera la forma básica y el padre de todas las
demás variantes, pero en este juego, aparentemente sencillo,
hay mucho más de lo que se ve a simple vista...

Paul Newman
parece
preocupado
en El golpe.

Draw de cinco cartas

El Draw constituye una de las variantes más antiguas y básicas a la que se puede jugar, lo que la hace perfecta para empezar si eres nuevo en el póker.

Eso no quiere decir que el Draw sea fácil de dominar, puesto que si lo juegas a un nivel decente deberás tener en cuenta muchísimas implicaciones estratégicas. Pero su base es extremadamente sencilla y no tiene complicaciones. A diferencia de otros juegos de póker, aquí, al principio, recibes cinco cartas. Todo lo que tienes que hacer es escoger qué cartas quieres descartar y cambiar. Los distintos tipos de Draw permiten diferentes rondas de descartes a lo largo de la mano, así como la cantidad de cartas que puedes cambiar.

Secuencia de juego

Antes de empezar tienes que decidir quién es el repartidor. Normalmente se hace repartiendo una carta a todas las personas de la mesa, y la carta más alta se lleva el botón. A medida que se van produciendo los descartes (empezando por la persona sentada a la izquierda del repartidor), el repartidor tiene que completar cada mano hasta que todos tengan cinco cartas en todo momento. Después de cada mano, el botón del repartidor se mueve una posición, siguiendo el sentido de las agujas del reloj.

El Draw de cinco cartas es perfecto para aprender los rudimentos del póker.

Antes y ciegas

Se trata de las apuestas obligatorias que hay que poner antes de que se repartan las cartas. Los antes, una cantidad fija que TODOS los jugadores tienen que poner, se suelen usar en las partidas caseras. Las ciegas son más comunes en los casinos y en las partidas *online*; el jugador sentado a la izquierda del repartidor pone la ciega pequeña y el jugador a su izquierda pone la ciega grande.

Estas apuestas obligatorias hacen que exista acción en la primera ronda de apuestas.

El reparto

Siguiendo el sentido de las agujas del reloj desde el repartidor (empezando con el jugador inmediatamente a su izquierda), cada jugador recibe una carta y se sigue con el orden de la mesa hasta que todos tengan

Antes y ciegas

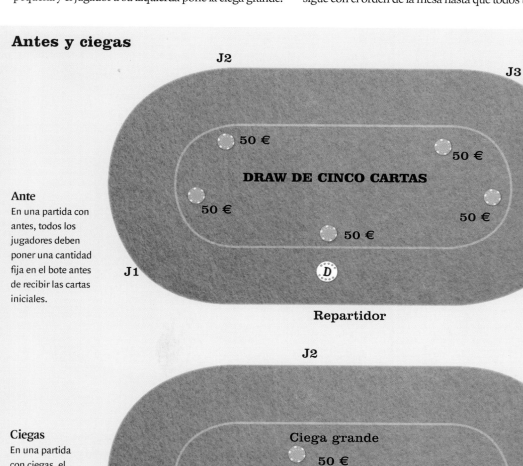

Ante

En una partida con antes, todos los jugadores deben poner una cantidad fija en el bote antes de recibir las cartas iniciales.

J2 J3

50 €
50 €
DRAW DE CINCO CARTAS
50 €
50 €
50 €
J1
D
J4

Repartidor

Ciegas

En una partida con ciegas, el jugador situado a la izquierda del repartidor pone la ciega pequeña y el jugador sentado a la izquierda de la ciega pequeña pone la ciega grande.

J2 J3

Ciega grande
50 €
Ciega pequeña
DRAW DE CINCO CARTAS
25 €
J1
D
J4

Repartidor

Reparto

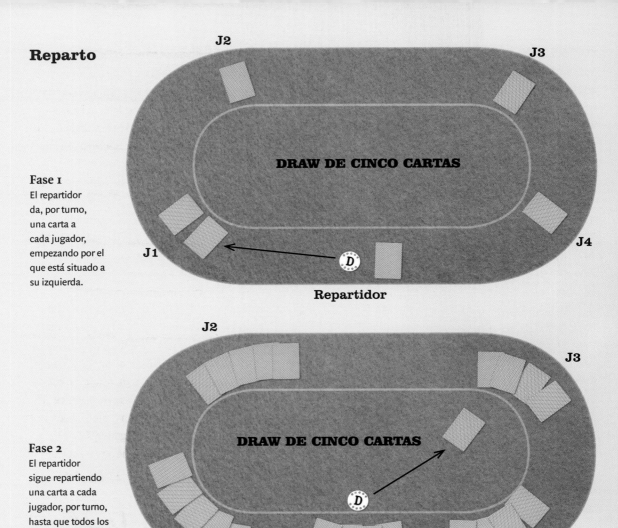

Fase 1
El repartidor da, por turno, una carta a cada jugador, empezando por el que está situado a su izquierda.

J2

J3

DRAW DE CINCO CARTAS

J1

J4

D

Repartidor

Fase 2
El repartidor sigue repartiendo una carta a cada jugador, por turno, hasta que todos los jugadores tienen cinco cartas en sus manos.

J2

J3

DRAW DE CINCO CARTAS

J1

J4

D

Repartidor

cinco cartas. Todas estas cartas se reparten boca abajo pero, a diferencia del Texas Hold'em, no hay cartas comunitarias. Lo que ves es lo que tienes.

Apostar en una partida con ante

La acción empieza por el jugador situado a la izquierda del repartidor, que tiene que pasar (indicando que no va a hacer ninguna apuesta) o apostar una cantidad entre el límite mínimo y máximo permitido por el juego. Técnicamente, en este momento puedes abandonar y

tirar tus cartas a la basura, pero es mejor pasar, por si tus pésimas cartas se convierten en una mano ganadora. Si todos pasan, podrías tirar tus cinco cartas y conseguir una escalera real. Es muy improbable, pero aun así es posible.

Los siguientes jugadores también pueden pasar (si nadie ha apostado antes que ellos), apostar, ver (igualando la apuesta), subir (si alguien ha hecho una apuesta antes) o abandonar. Esta secuencia continúa hasta que la apuesta más alta haya sido igualada por todos los jugadores activos o todos abandonen, dejando a un jugador solo para que se lleve el bote. Cuando cada jugador ha completado esta ronda de apuestas, las fichas se reúnen en el bote y empiezan los descartes.

Apostar en una partida con ciegas

Cuando las ciegas están en juego, la primera ronda de apuestas comienza por el jugador situado a la izquierda de la ciega grande. Este jugador debe ver (es decir, igualar) la ciega grande para seguir en la mano, apostar una cantidad entre el límite mínimo y máximo permitido o bien abandonar. Los jugadores siguientes deben igualar la apuesta, subirla o abandonar. Esta secuencia continúa hasta que todos los jugadores hayan igualado la apuesta más alta o hayan abandonado, tras lo cual todas las fichas se reúnen en el bote y se pasa a los descartes.

Descartes

Una vez ha terminado la ronda inicial de apuestas, tienes la opción de descartarte de las cartas de tu mano y reemplazarlas por nuevas cartas de la baraja, empezando por el jugador sentado a la izquierda del repartidor. Algunas variantes del juego limitan la cantidad de cartas que pueden cambiarse, pero normalmente puedes cambiar todas las que quieras. Después, le pasas tus descartes, boca abajo, al repartidor. Debes anunciar en voz alta el número de cartas que cambias, para que todos puedan oírlo. Entonces, el repartidor reemplaza el número de cartas que te has descartado por un número igual, una vez más repartidas boca abajo, de manera que te quedas con cinco cartas en tu mano. Este proceso se realiza siguiendo el sentido de las agujas del reloj, y la última persona en actuar es el repartidor.

No quiero nada

También puedes anunciar que no quieres cambiar nada, lo que significa que estás satisfecho con las cinco cartas que tienes y que no quieres descartarte ni recibir cartas nuevas. Esto puede suceder por dos razones: quizás te hayan repartido una buena mano (por ejemplo, una escalera) o tal vez hayas decidido que vas a intentar

llevarte el bote con un farol, intentando convencer al resto de jugadores de la mesa de que tu mano es tan fuerte que no necesitas mejorarla. Si cuando te hayan repartido un montón de chatarra injugable sientes debilidad en tus oponentes, puedes hacer una subida fuerte y después no querer nada, lo que puede llevarles a pensar que tienes una buena mano.

En el ejemplo que se mencionará, la acción empieza por la posición siguiente a la ciega grande. El Jugador 3 abandona y el Jugador 4 lo ve. Tú, después, subes, de manera que indicas a tus oponentes que tienes una mano fuerte. El Jugador 1 y el Jugador 2 ven tu subida, pero el Jugador 4 se replantea su mano y prefiere abandonar. El Jugador 1 cambia tres cartas, e indica que tiene una pareja. El Jugador 2 también cambia tres cartas. Aunque no tienes nada digno de mención, optas por no pedir nada. Esto, junto a la subida que hiciste en la primera ronda de apuestas, debería confundir a tus oponentes y hacerles pensar que tu mano no era solo lo bastante fuerte como para hacer una apuesta antes de los descartes, sino que también es una mano «hecha» que no necesita más mejoras. Los Jugadores 1 y 2 pasan hasta ti, y tú haces una apuesta, lo que confirma sus peores miedos. Ambos abandonan y tú te llevas el bote con la peor mano de la mesa.

////////////////////////////////

¡ADVERTENCIA!

Solo en situaciones óptimas es conveniente no pedir ninguna carta, ya que es un movimiento extremadamente peligroso que puede volverse en tu contra fácilmente. Puedes transformar una mano muerta en una ganadora, pero es vital que lo hagas en el momento y la situación oportunos. Si te encuentras con un contrario que tiene una mano monstruosa, tendrás muchos problemas y, si intentas hacerlo demasiado a menudo, la gente te pasará por encima. Un momento ideal es cuando estés en una posición de apuestas final (en el botón o muy cerca) y todos los jugadores que ya han actuado antes han demostrado debilidad, con descartes que sugieren que sus manos son débiles. Pero esto no constituye una garantía de éxito; farolear siempre conlleva riesgos.

////////////////////////////////

No quiero nada

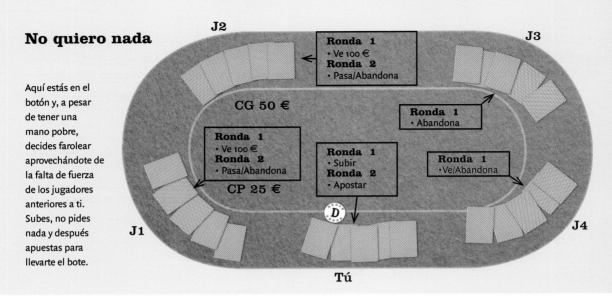

Aquí estás en el botón y, a pesar de tener una mano pobre, decides farolear aprovechándote de la falta de fuerza de los jugadores anteriores a ti. Subes, no pides nada y después apuestas para llevarte el bote.

J2

J3

Ronda 1
• Ve 100 €
Ronda 2
• Pasa/Abandona

CG 50 €

Ronda 1
• Abandona

Ronda 1
• Ve 100 €
Ronda 2
• Pasa/Abandona

CP 25 €

Ronda 1
• Subir
Ronda 2
• Apostar

Ronda 1
•Ve/Abandona

J1

J4

Tú

Esto demuestra que en el póker no hace falta tener la mano ganadora, tan solo debes realizar un movimiento ganador.

Última ronda de apuestas

La mayoría de juegos de Draw solo tienen dos rondas de apuestas, la primera tras el reparto inicial y la segunda tras los descartes y el cambio de cartas. Una vez todos los de la mesa han recibido sus nuevas cartas, la acción vuelve a empezar por el jugador sentado inmediatamente a la izquierda del repartidor, que debe pasar, apostar o abandonar. El juego continúa alrededor de la mesa hasta que todas las apuestas se hayan completado.

Enfrentamiento

Si en la ronda final de apuestas solo queda un jugador activo (por ejemplo, todos los jugadores han abandonado ante la apuesta de un jugador), ese jugador se lleva todo el bote y no está obligado

Enfrentamiento

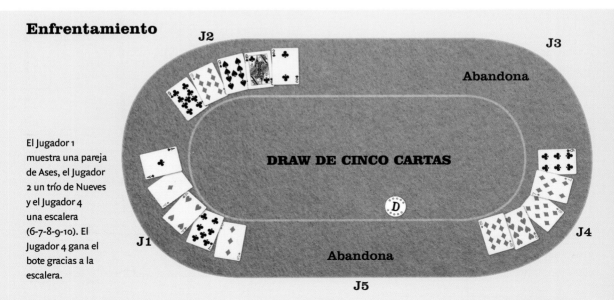

El Jugador 1 muestra una pareja de Ases, el Jugador 2 un trío de Nueves y el Jugador 4 una escalera (6-7-8-9-10). El Jugador 4 gana el bote gracias a la escalera.

J2

J3

Abandona

DRAW DE CINCO CARTAS

J1

J4

Abandona

J5

a mostrar la mano (es algo totalmente opcional, lo puedes hacer si así lo deseas, pero ten en cuenta que estarás ofreciendo información gratis).

Si al final de la última ronda de apuestas queda más de un jugador activo, todos los jugadores activos muestran sus manos y se declara un ganador siguiendo el ranking de manos de cinco cartas normal (ver p. 14). Si dos jugadores tienen exactamente la misma mano, el bote se reparte.

CONSEJO

Nunca podrás estar completamente seguro de qué tienen tus oponentes a menos que pagues para obligarlos a sincerarse y los lleves al enfrentamiento, pero puedes reunir muchísima información a partir del número de cartas del que se descartan.

Cambiar cinco cartas
Se trata de una garantía segura de que la mano era terrible. No es imposible que la mano que la reemplace sea decente, pero es bastante improbable. Si queda alguien en la partida que no tenga nada en su mano, es de suponer que las apuestas anteriores hayan sido tímidas; cualquier clase de apuesta o subida le habrían obligado a tirar sus cartas.

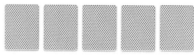

Cambiar cuatro cartas
No es mucho mejor que cambiar cinco, aunque quedarse con una indica una carta alta, probablemente un As. Alguien que cambie cuatro cartas solo te dará problemas si ha tenido mucha suerte con las cartas nuevas.

Cambiar tres cartas
Un buen indicativo de que ha hecho una pareja y que espera transformarla en dobles parejas o un trío. Es muy improbable que busque una escalera o un color; es algo casi milagroso, pero, en el mejor de los casos, solo deberías preocuparte porque, tras el descarte, tenga un trío o unas dobles parejas.

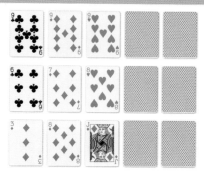

Cambiar dos cartas
Es lo más difícil de interpretar, ya que existen muchas posibilidades. Puede que en realidad tenga un trío, pero también puede buscar una escalera o un color. Vigila sus apuestas tras el descarte. Si apuesta con fuerza, es probable que tuviera un trío desde el principio o haya logrado mejorar su mano. Una apuesta débil tras intercambiar dos cartas sugiere una mano igual de débil.

Cambiar una carta
Sugiere que quizás haya recibido unas dobles parejas y busque una carta para completar un full. Pero lo normal es que indique que quiere completar una escalera o un color y solo necesite una carta. Vigila sus apuestas tras el descarte y estate atento a las señales de mucha fuerza. Si tenía un proyecto, no hay forma de saber si lo ha completado.

Errores comunes

Aunque puede parecer un juego sencillo, en el Draw hay una gran dosis de estrategia y se deben evitar muchísimos errores potenciales como...

• Ver siempre

Si te reparten una mano que es claramente débil o una que solo pasará a ser una mano ganadora con un «milagro» tras los descartes, no te quedes en la partida con los brazos cruzados. Es una forma segura de perder dinero con gran rapidez. Esto es aún más importante si juegas en una mesa completa o si estás sentado en una posición inicial. Si tu mano no es lo bastante buena como para subir, no la juegues.

• Ver apuestas cuando está claro que te han ganado

Tienes que estar listo para dejar marchar tu mano. No malgastes dinero por un presentimiento o porque creas que has invertido tanto dinero en el bote que ya te tienes que quedar hasta el final. En muy pocas ocasiones pillarás a un jugador faroleando con cartas débiles y la mayoría de las veces te encontrarás con una mano más fuerte que la tuya. Debes saber cuándo estás perdiendo y actuar en consecuencia. Abandona.

• La fuerza relativa de la posición

Una pareja de Ochos puede ser una mano inicial jugable en una posición posterior, pero deberías evitarla en una posición inicial, cuando detrás de ti va a haber mucha acción, e involucrarte te va a salir caro.

Jugar en posición:

• Inicial

Con una pareja de Ochos, lo único que quieres hacer es limpear, si es posible, y mejorar tras cambiar

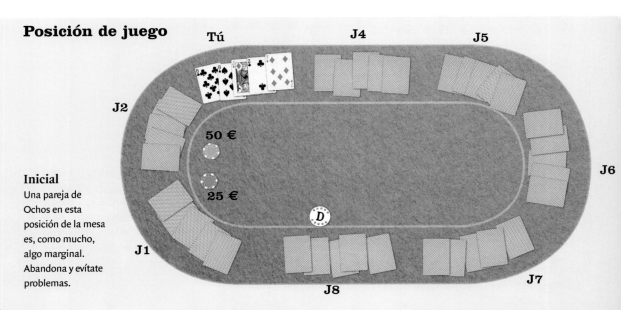

Posición de juego

Tú   **J4**   **J5**

J2

50 €

25 €

D

J6

Inicial

Una pareja de Ochos en esta posición de la mesa es, como mucho, algo marginal. Abandona y evítate problemas.

J1

J8   **J7**

tres cartas. Con tantos jugadores detrás de ti, las posibilidades de que te salga barato son remotas. Con ello malgastarás el dinero, si lo ves, o te presionará para ver una subida alta. Ahórrate problemas y abandona.

• Final

En una posición mucho posterior es más probable que el limpear te salga mejor sin necesidad de enfrentarte a la consiguiente subida. También estás en una posición más fuerte tras el descarte, ya que eres el último en actuar. Aunque no mejores tu mano, si los jugadores anteriores a ti muestran debilidad, puede que quieras tirarte un farol. Si logras mejorar (por ejemplo, a unas dobles parejas, un trío, un *full* o un póker), entonces estarás en la mejor posición para maximizar tus ganancias en la mano.

Proyectos de escaleras y colores

Aparte de una pareja, las manos más comunes que recibirás en el reparto inicial serán proyectos de escaleras y colores. Pero un error muy común es invertir demasiado dinero en ellos. En una mesa completa puedes asumir que hay al menos una persona con una pareja, lo que indica que estás

¡Avanzado!

Cambiar cartas es algo arriesgado, incluso cuando solo necesites una para completar tu mano. ¿Tienes cuatro tréboles y necesitas uno para hacer tu color? Pues tus probabilidades son de 4-1. ¿Tienes unas dobles parejas y buscas un full? En este caso tienes un 11-1. La escalera interna y la escalera de dos puntas tienen aproximadamente unas probabilidades de 11-1 y 5-1, respectivamente. Siempre que puedas, sigue estos proyectos, pero no esperes completarlos continuamente y asegúrate de que ganas lo suficiente respecto a lo que juegas.

en una posición inferior. Por ese motivo, no deberías esperar una carta milagrosa o jugar proyectos desde una posición inicial y/o contra grandes subidas. Nunca puedes justificar, y esta máxima se aplica a cualquier juego de póker, poner grandes cantidades de dinero en un bote en el que lo único que puedes hacer es cruzar los dedos y rezar.

Cuando ya hayas perdido demasiadas manos por culpa de proyectos de color o escaleras esperanzadas que jamás se completaron, abandonarás ese mal hábito. Pero procura no llegar a él. Aprenderlo a las malas puede ser algo muy frustrante y también caro.

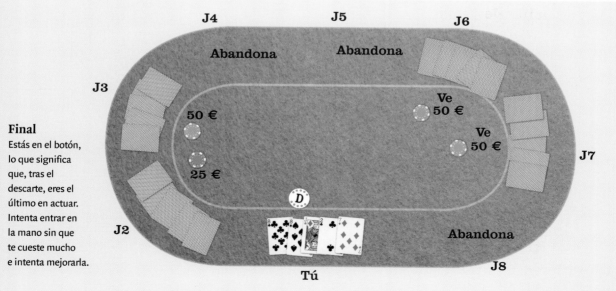

Final
Estás en el botón, lo que significa que, tras el descarte, eres el último en actuar. Intenta entrar en la mano sin que te cueste mucho e intenta mejorarla.

Parejas iniciales en ocho manos

En cualquier partida de Draw con una mesa completa de ocho jugadores, tendrás que ser muy selectivo con las manos iniciales que juegas desde tu posición. Si el jugador situado a la izquierda del repartidor es el Jugador 1 y el que está a la izquierda de este es el Jugador 2, etc., aquí tienes algunas posibles manos para cada posición. Recuerda que hay una ciega grande y otra pequeña, de modo que la acción en realidad empieza con el Jugador 3.

Parejas por posición

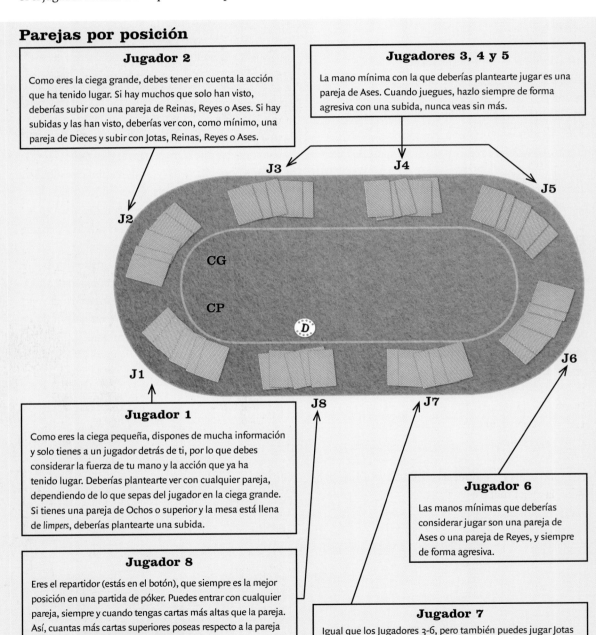

Jugador 2

Como eres la ciega grande, debes tener en cuenta la acción que ha tenido lugar. Si hay muchos que solo han visto, deberías subir con una pareja de Reinas, Reyes o Ases. Si hay subidas y las han visto, deberías ver con, como mínimo, una pareja de Dieces y subir con Jotas, Reinas, Reyes o Ases.

Jugadores 3, 4 y 5

La mano mínima con la que deberías plantearte jugar es una pareja de Ases. Cuando juegues, hazlo siempre de forma agresiva con una subida, nunca veas sin más.

CG

CP

D

J3 J4 J5

J2

J1

J8 J7 J6

Jugador 1

Como eres la ciega pequeña, dispones de mucha información y solo tienes a un jugador detrás de ti, por lo que debes considerar la fuerza de tu mano y la acción que ya ha tenido lugar. Deberías plantearte ver con cualquier pareja, dependiendo de lo que sepas del jugador en la ciega grande. Si tienes una pareja de Ochos o superior y la mesa está llena de *limpers*, deberías plantearte una subida.

Jugador 8

Eres el repartidor (estás en el botón), que siempre es la mejor posición en una partida de póker. Puedes entrar con cualquier pareja, siempre y cuando tengas cartas más altas que la pareja. Así, cuantas más cartas superiores poseas respecto a la pareja que tienes, más fuerte será tu posición.

Jugador 6

Las manos mínimas que deberías considerar jugar son una pareja de Ases o una pareja de Reyes, y siempre de forma agresiva.

Jugador 7

Igual que los Jugadores 3-6, pero también puedes jugar Jotas y Reinas.

Draw triple

En el póker, no siempre buscas las cartas altas. En Draw triple, cuanto más bajas sean tus cartas, mejor.

En los últimos años, el Draw ha permanecido bajo la sombra del Texas Hold'em y el Stud de siete cartas, pero el Draw triple está empezando a recuperar su lugar en el corazón de la gente, especialmente entre los aficionados al póker que lo juegan con apuestas que aturden en los casinos de Las Vegas. Básicamente, el Draw triple es un Draw de cinco cartas donde gana la mano más baja y, tal y como sugiere el nombre, se tienen tres oportunidades para cambiar las cartas. Esto significa que hay cuatro rondas de apuestas, a diferencia de en el Draw de cinco cartas, que solo tiene dos. La variante más frecuente es el Draw triple Dos a Siete, en el que las parejas, los colores y las escaleras siguen contando en el ranking de manos, pero ya no son tan buenos. Si quieres hacer la mano más baja posible (ten en cuenta que los Ases son altos), debes tener en cuenta que una escalera de color real es la peor mano posible que puedes conseguir. La mejor mano en Draw triple Dos a Siete es 2-3-4-5-7 (no 2-3-4-5-6, ya que entonces harías escalera). Como tienes tres oportunidades para mejorar tu mano, es improbable que ganes si tienes una pareja alta.

También puedes jugar al Draw triple A-5, donde los Ases son bajos y las escaleras y los colores no cuentan. Aquí, la mejor mano es A-2-3-4-5.

Resumen

- **El Draw es una variante del póker extremadamente sencilla.**

- **No hay cartas comunitarias.**

- **Tienes cinco cartas desde el principio.**

- **Puedes descartarte y conseguir nuevas cartas para mejorar tu mano.**

- **En la mayoría de juegos de Draw, puedes escoger descartarte de cualquier número de cartas.**

- **O puedes no cambiar nada con una mano realmente mala...**

- **Y esperar que no te la vean con un monstruo.**

- **La escalera de color real es la peor mano que puedes tener en Draw triple.**

Apostar

«Un día de estos, en tus viajes, un tipo se te va a acercar
y te enseñará una baraja de cartas totalmente nueva,
no estará roto ni el sello, y este tipo va a apostarte
que puede hacer que la Jota de picas salte de la baraja
y te eche sidra por la oreja. Pero hijo, no apuestes contra
este hombre, porque tan cierto como que estás ahí de pie,
vas a acabar con la oreja llena de sidra.»

DAMON RUNYON

California Split:
aprende a
apostar bien o
te arriesgas a
enfurecer al resto
de jugadores.

En este capítulo vas a aprender que...

Las apuestas son tu mejor arma, incluso más que las cartas. Una buena
apuesta crea preguntas, exige respuestas y presiona a tus oponentes.
Al aprender a poner tus fichas en el centro de la mesa lograrás llevarte
muchas más. Y ese es el objetivo del juego.

Apostar

Se dice que aprender a jugar al póker lleva minutos, y dominarlo toda una vida, y lo mismo se aplica a las apuestas. No puedes hacer demasiados movimientos, pero es posible usarlos de un millón de formas distintas.

Quizás pienses que el póker es un juego de cartas aunque, de hecho, es más un juego de apuestas en el que las cartas se utilizan para manejar las probabilidades y crear las situaciones para apostar. Aprende a apostar y serás un jugador de póker infinitamente mejor.

Ciegas y antes

Son las apuestas obligatorias que hay que hacer antes de que se repartan las cartas, lo que asegura que siempre habrá algo por lo que jugar. Si juegas a un juego con ciegas, los dos jugadores sentados a la izquierda del repartidor ponen la ciega pequeña y la grande, respectivamente. La primera es la ciega pequeña y la segunda, normalmente el doble que la pequeña, la grande. Cuentan como apuestas activas. A continuación se reparten las cartas y el

Puedes vivir sin buenas cartas, pero si no sabes apostar como un profesional, será mejor que lo dejes correr.

jugador situado a la izquierda de la ciega grande comienza a apostar; si quiere seguir jugando debe igualar la ciega grande o subirla. En el resto de rondas de apuestas, la acción empieza por el jugador sentado a la izquierda del repartidor (la ciega pequeña). De esta persona se dice que está *under the gun* (bajo la pistola).

Los antes son pequeñas apuestas obligatorias que todos los jugadores de la mesa deben poner antes de que se repartan las cartas. A veces, los antes se utilizan junto a las ciegas para crear un bote inicial mayor.

Tus movimientos de apuesta

Pasar

Pasar te permite seguir en la mano sin hacer una apuesta, pero solo es posible cuando no se ha producido ninguna apuesta o subida anterior. Esto sucede cuando eres el primero en apostar en una ronda sin ciegas o cuando te llega la acción después de que otros jugadores también hayan pasado. Puedes pasar para intentar mejorar una mano sin gastar más dinero. O puedes ser muy astuto y utilizarlo para ocultar una mano monstruosa e intentar atrapar a tus oponentes.

CONSEJO

En las partidas en vivo, puedes indicar que pasas dando unos golpecitos en la mesa. Si no quieres pasar, procura no golpear la mesa cuando te toque. Aunque sigas el ritmo de la canción que escuchas en tu MP3, si el repartidor lo ve, interpretará que quieres pasar y pasará la acción al siguiente jugador.

Aquí es donde quieres dejar tus fichas al final de la noche.

Apostar

Si eres el primero en actuar en una ronda de apuestas o todos los jugadores anteriores han pasado, puedes escoger ser el agresor y apostar. La cantidad que puedes apostar está determinada por la clase de partida a la que juegues. En las partidas con límite, quizás tengas que apostar el límite inferior o superior, según dictaminen los niveles del juego. Si juegas sin límite, puedes restarte siempre que quieras. Para obtener más información acerca de las distintas clases de partidas en las que puedes jugar y cómo afectan a tus apuestas, lee la página 79.

Ver

Si se ha producido una apuesta anterior y quieres quedarte en la mano, lo mínimo que tienes que hacer es ver la apuesta. Ver una apuesta consiste simplemente en igualar la apuesta que tienes delante.

Subir

Subir un bote significa hacer una apuesta mayor que la que han hecho anteriormente. Al igual que con las apuestas, la cantidad que puedes subir depende de la clase de juego. Si decides subir el bote, el resto de jugadores tendrá que igualar tu subida para seguir en la mano o resubirte.

Resubir

Si alguien sube antes que tú, puedes resubir la apuesta; normalmente suele ser señal de una mano monstruosa o de un farol a sangre fría. Sin importar el motivo, se trata de un movimiento poderoso. Si alguien te resube y lo ves, deberías estar preparado para llegar hasta el final de la mano. Al igual que en los casos anteriores, la cantidad que puedes resubir depende de la clase de partida que juegues.

Pasar-subir

Pasar-subir solía considerarse un movimiento poco limpio y menos honesto. Algunas salas de cartas incluso tenían reglas para evitar que se hiciera, algo que es, obviamente, ridículo. En el agresivo mundo del póker moderno, pasar-subir no solo está aceptado como parte del juego, sino que también es un arma extremadamente poderosa.

Pasar-subir consiste en pasar cuando te llega la acción, pero después subir cualquier apuesta que hagan. Ten cuidado y no caigas en esta trampa. Si alguien pasa hasta ti, es posible que lo consideres una muestra de debilidad y que apuestes con la intención de robar el bote. Pero si el jugador que pasó te devuelve una subida, ¿qué harás? Procura no regalar montones de tus fichas a jugadores que pasen-suban; hazlo solo cuando tengas una mano fuerte.

Straddle

En las partidas *online* no verás ninguna *straddle*, pero puede que te encuentres con ellas en el póker en vivo. Una apuesta *straddle* es, básicamente, una tercera ciega voluntaria que actúa como una subida a ciegas y se cuenta como una tercera ciega; la persona que ha hecho la apuesta *straddle* puede subir el bote cuando le vuelva a llegar la acción. Como la persona que coloca la *straddle* no ha visto sus cartas, es muy difícil saber cómo reaccionará frente a una apuesta de este tipo. Si tiene cartas débiles puede farolear mejor y, si tiene suerte y consigue una mano *premium*, puede que le saque más dinero a un oponente distraído.

Habla claro

En una partida *online* es muy difícil cometer errores humanos (como actuar fuera de turno, apostar la cantidad equivocada, abandonar cartas vivas, etc.), pero la mejor forma de evitar que te malinterpreten en una partida en vivo consiste en decir exactamente

Apuestas *straddle*

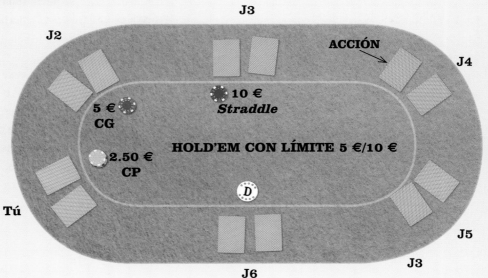

En este ejemplo, tú eres la ciega pequeña y el jugador a tu izquierda es la ciega grande. El Jugador 3 normalmente no estaría en las ciegas, pero ha escogido hacer un straddle y ha puesto su propia subida a las ciegas.

J3

J2

ACCIÓN

J4

10 € *Straddle*

5 € CG

HOLD'EM CON LÍMITE 5 €/10 €

2.50 € CP

D

Tú

J5

J6

J3

Sin límite

Aquí el Jugador 4 es el primero en actuar y hace una subida mínima de 20 €. El Jugador 5 abandona y el Jugador 6 decide hacer una resubida. La resubida debe ser de al menos el doble que la apuesta anterior (en este caso debería ser de al menos de 20 €) pero el Jugador 6 prefiere subir la apuesta a 350 €. Tú puedes abandonar, ver la apuesta de 350 € o resubir al menos otros 350 € o hasta todas tus fichas.

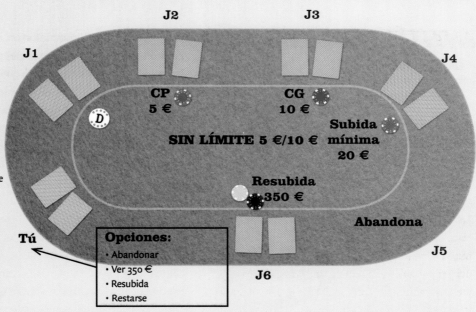

Opciones:
- Abandonar
- Ver 350 €
- Resubida
- Restarse

---

qué vas a hacer en *todas* las situaciones de apuesta. Si planeas subir otros 100 al bote, diles a los jugadores y al repartidor «subo otros 100». Si quieres subir un bote de 100 a 300, entonces di «subo hasta 300». Puedes describir tu apuesta como quieras, siempre que sea clara y comprensible. Y recuerda que una declaración verbal es vinculante; por tanto, una vez que hayas anunciado tus intenciones, debes cumplirlas.

¿Cuánto puedes apostar?

La clase de póker a la que juegues dictamina la cantidad que puedes apostar en cualquier momento y esto ejerce un gran impacto en el juego. Existen tres variantes: sin límite, con límite (límite fijo) y límite de bote y las diferencias entre ellas son enormes.

Sin límite

Si estás viendo una partida de póker por televisión, es muy probable que sea sin límite. Las partidas sin límite tienen ciegas (apuestas obligatorias), pero el resto de apuestas no tiene límites, lo que significa que puedes apostar cualquier cantidad, siempre que cubras la cantidad mínima requerida para quedarte en la mano. Poner todas tus fichas en el centro (llamado restarse u *all-in*) es un movimiento potente que te puede hacer ganar muchísimos botes. Pero también es una maniobra muy arriesgada. Si pierdes la mano, perderás todo lo que tienes.

Las cantidades fijas en una partida sin límite son la ciega pequeña y la grande. Así pues, en una partida 5 €/10 € sin límite, la ciega pequeña serán 5 € y la grande 10 € y la apuesta mínima en cada ronda son 10 €. Por lo general, cualquier subida *debe* ser de al menos el doble que la apuesta anterior.

All-in

El juego al que juegues es indiferente, puesto que llegará un momento en que tengas que poner en el **centro de la mesa todas las fichas que te quedan** (algo **que, obviamente, pasa con bastante más frecuencia en los juegos sin límite**). Esto se denomina hacer *all-in* o restarse y es uno de los movimientos más dramáticos y emocionantes que puedes hacer en el póker. Y, si tienes fichas suficientes, puede ser de una agresividad devastadora.

Pero no siempre será ese el caso. Si te quedan pocas fichas, puede que sea tu única posibilidad de

¡ADVERTENCIA!

La apuesta en cadena es uno de los errores más comunes del póker y la causa de muchas discusiones en la mesa. Consiste en hacer una apuesta por etapas, en lugar de hacerla de una sola vez. De modo que, si quieres subir una apuesta de 5 € en otros 20 €, debes mover hacia delante tus fichas por valor de 20 € al mismo tiempo. No puedes adelantar 10 € y después volver a tu pila por otros 10 €. Esto es para evitar que la gente declare una subida y después vaya añadiendo más y más fichas a la apuesta hasta que consigan una reacción de un oponente.

sobrevivir. Un error común es creer que te pueden echar de una mano de póker si un oponente apuesta más fichas de las que te quedan.

Se trata de una leyenda urbana y, además, haría que las partidas fueran aburridas. Lo que sí puedes hacer es restarte. Los otros jugadores que quedan en la mano pueden seguir apostando, creando lo que se conoce como *bote lateral*. Tú solo podrás ganar la cantidad del bote principal y nunca podrás ganarle más dinero a una persona del que pusiste en el bote.

Límite

Con tanta gente que aprende a jugar al póker con la televisión, y tantos programas que solo retransmiten partidas sin límite, la secuencia de apuestas en una partida con límite puede parecer, al principio, algo confusa. Pero una vez que conozcas las reglas, es extremadamente sencillo. (Y recuerda que, si tras leer este capítulo sigues sin tenerlo claro, siempre puedes ver partidas con límite en Internet. Mira los límites antes de empezar a jugar y contempla los patrones de apuestas; tras algunas rondas lo tendrás todo mucho más claro.)

Botes laterales

Aquí te has restado antes del *flop* con los 100 € que te quedaban. Los otros tres jugadores han visto tu apuesta y han creado un bote principal de 400 €. Quizás al final ganes este bote, pero no el bote lateral creado por los otros jugadores que siguen apostando.

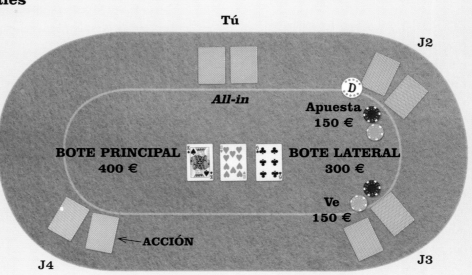

Una partida con límite se define por dos cantidades, por ejemplo, 5 €/10 €. Estas cantidades se refieren a las dos etapas diferentes de las apuestas. El límite inferior, 5 €, se refiere a la cantidad que puedes apostar antes del *flop* y tras el mismo; además, todas las subidas tienen que ser en incrementos de 5 €. Los 10 € son las apuestas para el *turn* (o cuarta carta) y el *river* (o quinta carta).

El límite inferior también es la cantidad de la ciega grande y la ciega pequeña es la mitad de dicha cantidad. Así pues, en una partida de 5 €/10 €, las ciegas serán 2,50 € y 5 €, respectivamente. Esto hace que la acción de la primera apuesta sea de 5 €. (Es algo que es importante recordar, ya que difiere de las partidas y juegos sin límite en el que las dos cantidades mostradas son las ciegas grande y pequeña.)

Límite

Ciegas

Se trata de una partida de límite fijo de 5 €/10 €. La ciega pequeña es de 2,50 € y la ciega grande 5 €. Las apuestas antes y después del *flop* se realizan en incrementos de 5 € y las apuestas en el *turn* y el *river* en incrementos de 10 €.

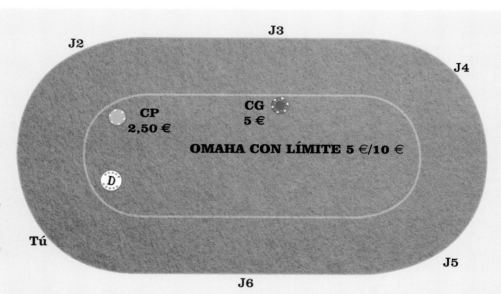

Apuestas antes del *flop*

Una vez se han pagado las ciegas, todos los jugadores reciben las cartas. El Jugador 4 es el primero en actuar y ha decidido ver los 5 € de la ciega grande. El Jugador 5 ha preferido subir y añade 5 € para dejar la apuesta en 10 €. Tú puedes abandonar, ver la apuesta de 10 € o subirla otros 5 € para dejarla en un total de 15 €.

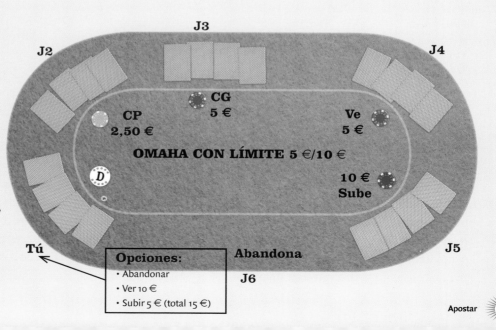

Opciones:
• Abandonar
• Ver 10 €
• Subir 5 € (total 15 €)

Apuestas tras el *flop*

De forma similar a las apuestas antes que el *flop*, las que tienen lugar después del mismo siguen utilizando el límite inferior (en este caso 5 €, ya que los límites de la partida son 5 €/10 €), así que todas las apuestas y subidas deben ser en incrementos de 5 €.

Apuestas en la cuarta y quinta calle

Una vez los jugadores llegan a la 4.ª y 5.ª carta comunitaria, comienza el límite superior, en este caso 10 €. Todas la apuestas y subidas deben realizarse en incrementos de 10 €. Cuando llegue tu turno, podrás abandonar, ver la subida de 10 € o resubir otros 10 € para hacer una apuesta total de 30 €.

Llegar al tope

En las partidas con límite suele haber un tope para la cantidad de subidas que se pueden hacer en una ronda de apuestas. La regla estándar es una apuesta y tres subidas antes de que la acción llegue al tope, y no se puedan hacer más subidas. En este momento, los jugadores que quedan deben igualar la última apuesta si quieren quedarse. En el ejemplo de la página siguiente, las apuestas llegan al tope tras tres subidas y tu única opción es igualar la apuesta o abandonar la mano. Los límites y la regla del tope hacen que el dinero en juego en cada mano en una partida con límite esté mucho más controlado que en una partida sin límite. Esto también puede hacer que se quede más gente hasta el final de la mano, subiendo la calidad de la mano necesaria para llevarse el bote.

Topes

En este ejemplo, el Jugador 3 es el primero en apostar. Los Jugadores 4, 5 y 6 también suben, con apuestas que siguen los incrementos que dictan los límites. El Jugador 6 ha realizado la tercera subida, lo que significa que se ha llegado al tope de apuestas y que ya no se puede subir más. Esto hace que tus únicas opciones sean ver la apuesta o abandonar.

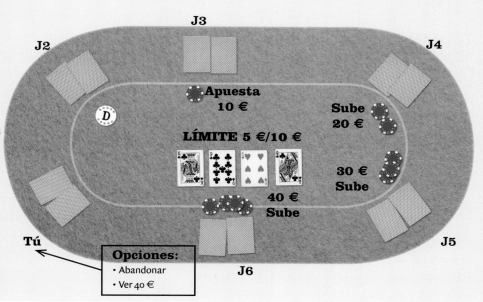

J3

J2

J4

Apuesta
10 €

Sube
20 €

D

LÍMITE 5 €/10 €

30 €
Sube

40 €
Sube

Tú

J5

Opciones:
- Abandonar
- Ver 40 €

J6

CONSEJO

Los faroles son mucho más frecuentes en las partidas sin límite y con límite de bote, en las que puedes realizar importantísimas apuestas para disuadir a los demás de que las vean a menos que tengan manos muy buenas. En las partidas con límite, las apuestas son fijas, así que habrá mucha más gente dispuesta a ver la apuesta para tener la posibilidad de mejorar su mano, de manera que hay que farolear con sumo cuidado.

Límite de bote

Entre el límite y el sin límite existe un punto intermedio. Las partidas con límite de bote permiten hacer algunos de los movimientos agresivos del póker sin límite (¡y es que no hay nada que produzca más miedo que ver a un oponente empujando una torre de fichas hacia ti!), pero manteniendo cierto control sobre la cantidad que puedes apostar. Puedes jugar a cualquier juego de póker como si fuera un juego con límite de bote, pero algunas variantes, como el Omaha, suelen jugarse con límite de bote.

Es muy sencillo. La cantidad máxima que puedes apostar en una partida con límite de bote queda dictaminada por el tamaño del mismo. Por tanto, si en rondas anteriores de apuestas se ha creado un bote

de 150 €, tu apuesta inicial no puede ser menor que la ciega grande y no puede superar el bote total.

Al igual que en las partidas sin límite, los límites mostrados hacen referencia a la ciega grande y la pequeña. De modo que, en una partida 5 €/10 €, la ciega pequeña son 5 € y la grande 10 €. Cada ronda empieza con una apuesta mínima dictada por la ciega grande. Si quieres subir, el máximo permitido es la cantidad de la apuesta que quieres ver, *más* el total del bote.

Y aquí es donde llegan normalmente los problemas en las partidas con límite de bote: ¿cuál es exactamente la cantidad que puedes subir? Tal y como su nombre indica, estás limitado por el tamaño del bote, pero una subida de bote incluye la cantidad que tienes que añadir para ver cualquier apuesta anterior.

En el ejemplo de la página siguiente, cuando te llega la acción, la apuesta está en 35 €. Puedes verla (pagando 35 €) y después subir hasta la cantidad del bote total (85 €), hasta llegar a un total de 120 €. Si juegas una partida en vivo y no estás seguro de cuál fue la última apuesta y el tamaño del bote, pregunta. Y si quieres hacer una subida del tamaño del bote, basta con que lo digas claramente, «Subo el bote», y el repartidor ya te dirá cuántas fichas tienes que meter. Están ahí para algo más que para destruir tus manos en el *river*.

Estrategia de apuestas: hacer preguntas

Los principiantes a menudo consideran las apuestas una forma de hacer dinero. Metes dinero en el bote y lo ganas o lo pierdes. Error.

Apostar también es la mejor forma de saber qué cartas tienen sus oponentes en las manos. Que no tengas una mano fuerte no significa que no puedas ganar el bote. Si tienes una mano débil y no apuestas, *nunca* ganarás. Pero aunque no tengas una buena mano, ¿por qué piensas que tu oponente sí la tiene? Solo hay una forma de saberlo: preguntarle. De hecho, preguntarle directamente: «¿Qué mano tienes?» no te va a proporcionar muchas respuestas, a menos que esté distraído, pero, al hacer una apuesta, le estás preguntando algo que tiene que contestar. El siguiente ejemplo muestra lo difícil que puede ser encontrar una respuesta.

Tu mano: 10s-5c
Mano del oponente: Kc-2d
El *flop*: Ah-6h-2s

El *flop* no te ha ayudado en absoluto, pero, al apostar, le haces una pregunta importante a tu oponente, que ha ligado la pareja inferior. Estás representando una mano y le estás preguntando si te cree. Si es un jugador ajustado, lo más probable es que abandone.

El tamaño sí importa

Antes de hacer una apuesta, piensa durante un segundo cuál es tu objetivo. ¿Quieres que tus oponentes te vean? ¿O estás faroleando y deseas que todos ellos abandonen? Cuando hagas una apuesta, ten esto en cuenta y reacciona en consecuencia. Recuerda que en las partidas con límite es mucho más probable que te vean, ya que tus oponentes podrán ver otra carta por un precio fijo. Y no pierdas de vista las fichas de tus rivales. Si tienen muchas fichas podrían verte solo porque pueden, y si tienen pocas puede que se vean obligados a verte con casi cualquier cosa.

También tienes que aceptar que si apuestas por lo bajo te van a ver (es decir, apuestas poco) y lo más probable es que una apuesta desmesurada asuste a alguien. Apuesta 1 € en un bote de 50 € y las

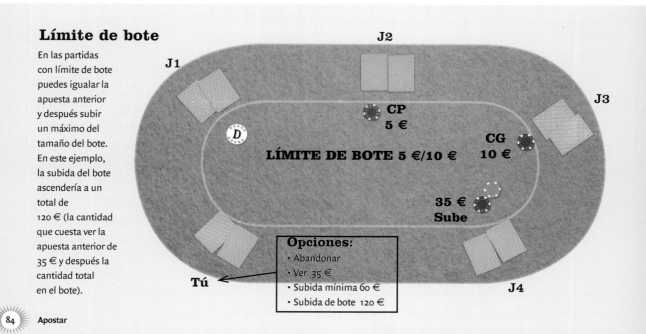

Límite de bote

En las partidas con límite de bote puedes igualar la apuesta anterior y después subir un máximo del tamaño del bote. En este ejemplo, la subida del bote ascendería a un total de 120 € (la cantidad que cuesta ver la apuesta anterior de 35 € y después la cantidad total en el bote).

J2

J1

CP
5 €

D

J3

CG
10 €

LÍMITE DE BOTE 5 €/10 €

35 €
Sube

Opciones:
• Abandonar
• Ver 35 €
• Subida mínima 60 €
• Subida de bote 120 €

Tú

J4

Hacer la pregunta

Tu mano

Mano del oponente

El *flop*

Has fallado en el *flop*, pero una apuesta todavía podría darte la mano.

probabilidades de que tus oponentes abandonen son prácticamente nulas. Haz una apuesta de 150 € para ganar 50 € y probablemente se lo piensen dos veces.

El dinero manda

Todo lo anterior se podría resumir en que no debes ver tus fichas como ganancias, sino como capital. Puedes usar este capital para ir a la caza de los que se arriesgan esperando tener suerte, intimidar a los jugadores con pocas fichas o que juegan de forma conservadora porque están en la burbuja (la última posición antes de ganar dinero en un torneo) y usarlo para comprar información.

Si aprender que el jugador situado a tu izquierda es la clase de jugador al que le gusta pasar-subir cada vez que liga una pareja con el *flop* te ha costado fichas, son fichas bien gastadas. Recuerda que si no tomas la iniciativa al apostar solo ganarás cuando tengas las mejores cartas. Y eso significa que a la larga perderás.

Lo más importante es que no debes apostar siguiendo un patrón que tus oponentes puedan leer. Si solo subes con una mano *premium*, tus oponentes se acabarán dando cuenta y jugarán en consecuencia. Sé impredecible, varía tus apuestas y haz que tus oponentes tengan que sudar por sus fichas. Ten en cuenta que cada vez que apuestas, tus rivales

CONSEJO

Cuando no estés en la partida o ni siquiera jugando, observa al resto de jugadores. Intenta calcular sus manos basándote únicamente en sus patrones de apuestas. Aunque no siempre llegarás a ver sus manos en el enfrentamiento, es un buen hábito y te reportará grandes beneficios.

consiguen información. Asegúrate de darles de vez en cuando algo que los confunda.

Triplicar las ciegas

¿Cuánto deberías apostar si tienes una mano? No pasarte es muy importante, ya que no quieres ahuyentar a posibles clientes. También tiene importancia no hacer que resulte tan barato que de repente todo el mundo te vea, y se reduzcan las posibilidades de que tu mano sea la ganadora tras el *flop*.

Triplicar o cuadriplicar la ciega grande se ha transformado en una regla aceptada si tienes una mano fuerte y quieres librarte de incordios. También es una buena forma de representar una mano fuerte y asegurarte de que solo te vean los que tengan manos *premium*, algo que más adelante en la mano podrás usar en tu provecho.

En el ejemplo de la página siguiente, eres el primero en actuar y haces una apuesta de tres veces la ciega. Abandonan todos los jugadores menos uno. Tiene sentido pensar que este jugador tiene una pareja media o una mano *premium*, como A-K, A-Q, etc. Has mostrado fuerza y él está encantado de ver. Una subida indicaría una pareja alta, probablemente Reyes o Ases.

En el *flop* aparecen cartas bajas y puedes asumir con seguridad que todavía tienes probabilidades, ya que las únicas cartas que temes que tenga tu oponente serían un Cuatro o un Seis (con los que completaría la escalera) o una pareja de Treses, Cincos o Sietes

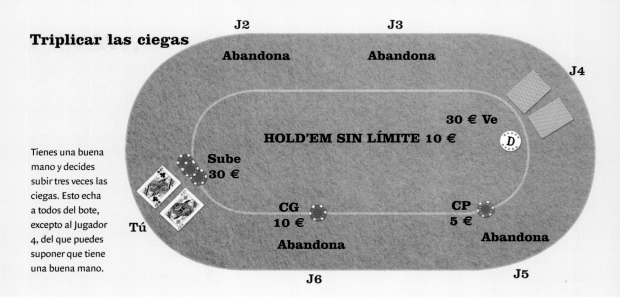

Triplicar las ciegas

J2 — Abandona
J3 — Abandona
J4
30 € Ve
HOLD'EM SIN LÍMITE 10 €
D
Sube 30 €
CG 10 €
Abandona
CP 5 €
Abandona
Tú
J6
J5

Tienes una buena mano y decides subir tres veces las ciegas. Esto echa a todos del bote, excepto al Jugador 4, del que puedes suponer que tiene una buena mano.

(que ahora se transformarían en un trío). Tu oponente tiene que ver una apuesta de 30 € para llegar al *flop*, y ahora lo que te tienes que preguntar es si crees que este jugador va a meter tanto dinero en el bote con cartas como esas. Aquí es cuando entra en juego cualquier información que hayas recopilado sobre tu oponente. Tal y como están las cosas, puedes asumir que tienes la mejor mano, algo que probablemente puedas comprobar con otra apuesta.

Jugar despacio

De la misma forma que puedes apostar sin una mano, para fingir fuerza, puedes escoger jugar despacio una mano pensada para intentar fingir que eres débil. Esto puede tener el efecto deseado de sacar más fichas a tus oponentes, pero también puede volverse en tu contra si alguno completa un proyecto. No estamos diciendo que no lo hagas, pero sí que debes tener cuidado. El siguiente

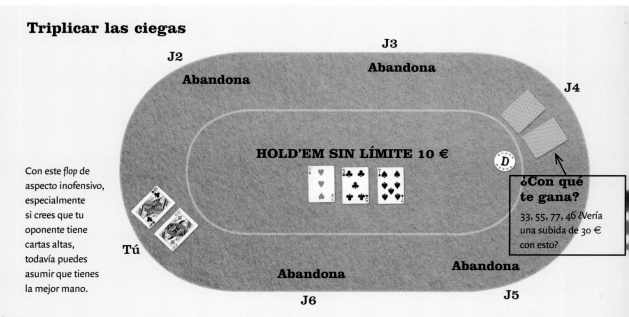

Triplicar las ciegas

J2
J3 — Abandona
J4
HOLD'EM SIN LÍMITE 10 €
Abandona
D
Tú
Abandona
J6
Abandona
J5

Con este *flop* de aspecto inofensivo, especialmente si crees que tu oponente tiene cartas altas, todavía puedes asumir que tienes la mejor mano.

¿Con qué te gana?

33, 55, 77, 46 ¿Vería una subida de 30 € con esto?

ejemplo ilustra muy bien los peligros que entraña jugar una mano lentamente.

Tu mano: As-Ks
Flop: Ac-Kh-4d

Gracias al *flop*, tienes una mano monstruo y si haces otra apuesta alta vas a asustar a tus oponentes. Si frenas, puede que tientes a que faroleen, sin mencionar la posibilidad de atrapar a alguien que tenga solo un As o un Rey.

Tu mano: As-Ks
Mano del oponente: 10s-Jh
Flop: Ac-Kh-4d
El *turn:* Qc

Has pasado en el *flop* con la intención de engordar el bote, pero en el *turn* ha salido una Reina. Tu oponente ha hecho su escalera y ahora estás en peligro de perder todas tus fichas. Si juegas despacio, es un riesgo al que te debes enfrentar. ¿Prefieres ganar sin problemas un bote más pequeño ahora o arriesgarte a ser superado para hacer un bote mayor? Cuantas más

manos juegues, mejor sabrás manejar este dilema, pero antes de tocar la mesa, busca posibles escaleras o colores.

Apuestas posicionales

Si estás sentado en la posición final, tienes mucha información sobre todos los que han actuado antes que tú. Y esto significa que te hallas en una posición de fuerza, sin importar las cartas que tengas en tu mano.

Tu mano: 10c-4d
El *flop:* As-Ad-3c

Si estás en el botón, como estás en esta mano, te hallas en la mejor posición de la mesa y deberías intentar usar esto en tu favor. En este ejemplo,

Apuestas posicionales

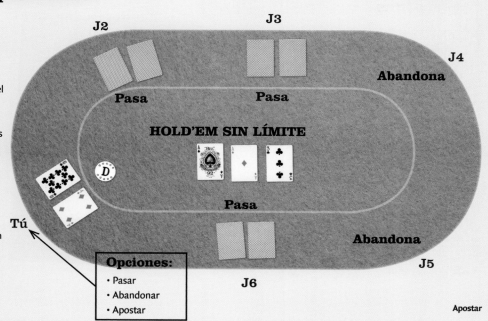

Aquí estás en el botón, lo que significa que tienes el privilegio de actuar el último. Nadie sube antes del *flop*, lo que indica una falta de manos *premium* y ahora, tras el *flop*, todos pasan hasta llegar a ti. A pesar de que no has hecho una mano, y que es totalmente posible que un par de jugadores tengan mejor mano que tú, cualquier apuesta podría hacer que te llevases el bote.

J2

J3

J4
Abandona

Pasa

Pasa

HOLD'EM SIN LÍMITE

Pasa

Abandona

J5

Tú

Opciones:
• Pasar
• Abandonar
• Apostar

J6

Apuestas posicionales

Quizás pienses que apostar con un *flop* como éste, sin un As, puede ser arriesgado pero a menos que tu oponente esté jugando un As lentamente, es improbable que encuentres resistencia. Si te vuelven a subir, toma nota del jugador que te ha pasado-subido, abandona la mano y considérala una inversión.

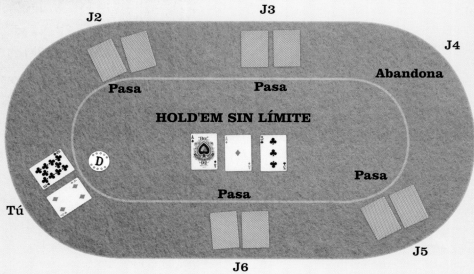

J2   J3   J4

Abandona

Pasa   Pasa

HOLD'EM SIN LÍMITE

Pasa

Pasa

Tú

J6   J5

además de tener la mejor posición, has ganado ímpetu gracias a un *flop* repleto de posibilidades y a la falta de acción antes de ti. Aquí es donde tu observación de los jugadores y la mesa son vitales. Si ya sabes por experiencia que tus oponentes no se limitan a ver si tienen un As, la falta de acción es una invitación a tirarse un farol. Una apuesta decente (puede que la mitad del bote) debería hacer que todos los que no tengan un As abandonen. Aunque te vean (o suban), habrás comprado bastante información sobre tu oponente, y si les gusta pasar-subir cuando tienen un monstruo, no ocurre nada. El hecho es que tus cartas no te van a hacer ganar un bote, pero una buena apuesta quizás sí.

CONSEJO

Aunque es tentador, cuando juegues *online* evita usar los botones de apuesta automática. La razón es muy sencilla: no puedes saber qué vas a hacer hasta que no tengas toda la información. Si eres el último en actuar y tienes chatarra (un Siete y un Dos de palos distintos, por ejemplo), no hagas clic automáticamente en el botón ABANDONAR; espera hasta que el resto de la mesa haya actuado. Si todos los demás abandonan y solo te enfrentas a las ciegas, una subida pequeña puede bastar para darte el bote. Si encuentras resistencia, reevalúa tu posición, pero no pierdas la oportunidad de ganar fichas. No abandones posibilidades de ganar únicamente por las cartas que tienes.

Resumen

- En el póker, las apuestas son un arma muy potente.

- Puedes apostar con una mano fuerte...

- Y con una débil...

- Y ambas pueden llevarse el bote.

- Solo puedes ganar lo que metas.

- Apostar puede proporcionarte una información valiosa.

- Apostar con posición es una estrategia ganadora.

- Sé impredecible.

- Si juegas sin límite, puedes meter todas tus fichas...

- Y, si no tienes cuidado, perderlas.

Apuesta como un profesional y tendrás muchas posibilidades de acabar con un montón de fichas.

Estrategia del póker

«Es un trabajo duro. Ser jugador. Jugar al póker. No dejes que nadie te diga lo contrario. Piensa cómo es estar sentado en una mesa de póker con gente cuyo único objetivo es cortarte la garganta, llevarse tu dinero y dejarte preguntándote qué es lo que ha salido mal.»

STU UNGER (ganador de las WSOP en tres ocasiones)

En este capítulo aprenderás que...

En el póker hay mucho más de lo que se ve a simple vista. Es un juego de cartas sencillo, pero posee un gran número de estrategias profundas y requiere un gran dominio de la psicología. Aunque empezar puede ser difícil, las recompensas son inmensas. Tu viaje al póker avanzado comienza aquí...

Para conocer las estrategias del póker se precisa algo más que ver *Rounders*.

Estrategia del póker

Puedes comprar miles de libros que intenten exclusivamente mejorar tu juego, pero bajo todos ellos existe una estrategia básica central. Es todo lo que necesitas para ganar al póker y te lo ofrecemos aquí.

Posición

No podemos dejar de resaltar lo importante que resulta la posición en casi todos los juegos de póker. Es tan importante que si fuéramos políticos sería lo primero que anunciaríamos en la campaña electoral y lo acompañaríamos de fuertes golpes en la mesa y gritos de: «¡Posición, posición, posición!». ¿Pero por qué es tan importante?

La base del póker consiste en conseguir información de tus oponentes, valorar la fuerza de tu mano respecto a la suya y ver si muestran fuerza o debilidad. Si eres el primero en actuar en una ronda de póker (lo que se conoce como estar *under the gun*), no tendrás ninguna información y actuarás a ciegas.

CONSEJO

La posición es vital en los juegos de póker con posiciones fijas, como el Texas Hold'em, pero menos importante en los juegos como el Stud, en el que la posición de apuesta en determinadas rondas depende del valor de las cartas a la vista.

Under the gun

En el ejemplo que se menciona más adelante, te han repartido Ks-10h y estás *under the gun*. Has apostado tres veces la ciega grande. El Jugador 5 abandona, el Jugador 6 ve, el Jugador 7 sube, el 8 resube, el 1 abandona, el 2 ve y el 3 abandona la ciega grande.

Under the gun

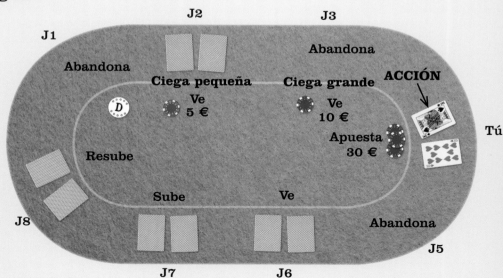

En este ejemplo puedes ver el problema de jugar con manos marginales fuera de posición. Con tanta gente pendiente todavía de actuar, tu única opción inteligente es abandonar y perder tu apuesta inicial.

Y ahora solo puedes asumir que te has pasado y la única acción sensata es abandonar, con lo que pierdes tu apuesta inicial. No apuestes con manos marginales sin posición.

En el botón

Cuando eres el repartidor, te conviertes en el último jugador en apostar en cada ronda de apuestas, excepto en la primera, en la que las ciegas actúan después de ti. Esto te deja en una posición ideal para robar las ciegas antes del *flop* si todos los demás abandonan. Tras el *flop*, las ciegas son las primeras en actuar, lo que permite que puedas ver lo que hacen todas las personas de la mesa antes de que te toque actuar. En el póker, la posición implica poder.

En el ejemplo que sigue te han repartido Ks-10h pero estás en el botón. El Jugador 4 abandona, el 5 y el 6 ven y el 7 y el 8 abandonan. Decides subir tres veces la ciega grande. Los Jugadores 2 (ciega pequeña) y 3 (ciega grande) abandonan. El Jugador 4 abandona, el 5 ve y el 6 abandona, lo que te deja con posición para la siguiente ronda de apuestas y con solo un adversario. Esto significa que aunque no ligues nada en el *flop*, puedes aprovecharte de la debilidad del Jugador 5, que tiene que actuar antes que tú. No ha subido antes del *flop*, así que puedes asumir que no tiene un monstruo. En ciertas situaciones, dependiendo de tus oponentes y desde esta posición, puedes subir con dos cartas cualquiera.

Manos iniciales

Siempre deberías tener bien presente las manos iniciales que vas a jugar y cuáles vas a abandonar. Y esto debe depender de la posición en la que te encuentres en la mesa. Las manos que no se pueden jugar en las posiciones iniciales se irán fortaleciendo a medida que te acerques al botón del repartidor. Uno de los mayores errores que se pueden cometer en el póker es jugar demasiadas manos, y puede resultar un hábito difícil de abandonar; juegas al póker para divertirte, pero si abandonas mano tras mano no lo harás.

¡Avanzado!

Como guía, y para entender lo básico, usa todas las estrategias básicas que explicamos en este capítulo. Cuando lo hayas hecho, ve a tu aire y desarrolla tu propio juego. En el póker es bueno ser impredecible.

En el botón

Si tienes el botón, estás en la posición más fuerte de la mesa. Asegúrate de aprovecharlo al máximo y presiona a tus oponentes.

No obstante, muy pronto te darás cuenta de que ganar es aún más divertido. Y para ganar tienes que jugar las manos correctas en el momento adecuado, así como aprender las antiguas artes de la paciencia y la disciplina. Nunca debes olvidar esto.

Posición en la mesa

En la ilustración inferior hemos dividido a los jugadores en tres posiciones: iniciales, medias y finales. Las manos que no deberías ni plantearte jugar en una posición inicial pueden convertirse en jugables a medida que te aproximas al botón.

Posición en la mesa

Con Texas Hold'em como ejemplo, las siguientes manos deberían considerarse jugables en cada posición. Obviamente, esto también depende de la acción que haya en la mesa antes de que llegue tu turno. Si estás sentado en una posición final y la mesa solo ve o abandona, entonces podrás jugar casi cualquier cosa. También es vital que recuerdes que esto solo es una guía a partir de la cual desarrollar tu propia táctica, ya que nunca deberías jugar únicamente siguiendo el libro. Si no varías un poco tus jugadas, leerte será muy fácil.

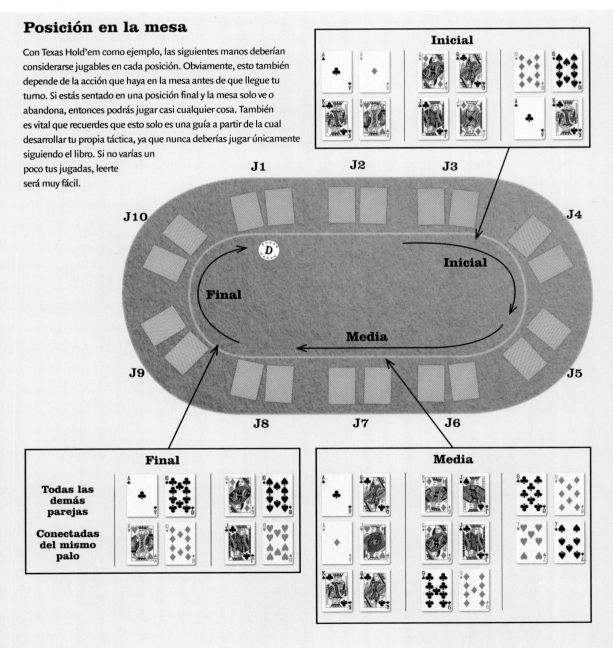

Agresividad

Si la posición es la consideración estratégica más importante, la agresividad ocupa el segundo lugar. Combínalas y serás un jugador con una eficacia devastadora. Los jugadores agresivos apostarán con mayor frecuencia, jugarán más manos y subirán más a menudo que los jugadores pasivos. Y si juegas de forma agresiva contra una roca que solo arriesga fichas con manos *premium*, ganarás dinero regularmente.

Gus Hansen es un jugador de póker extremadamente agresivo. Jugar contra él puede ser casi imposible.

Sé selectivo

Ser agresivo de forma aleatoria no sirve de nada; en cambio, tienes que ser selectivo, ya que de esa forma ganarás. Usa las apuestas agresivas junto a la posición en la mesa, manos y la información que has conseguido de tus oponentes. Si estás en el botón y la mesa abandona hasta llegar a ti antes del *flop*, entonces solo debes superar a dos jugadores, las ciegas. Una subida en esa posición, sin importar qué mano tengas, puede proporcionarte el bote. Las probabilidades de que los dos jugadores restantes tengan una mano con la que puedan ver una subida son escasas, y si contraatacan con una subida, siempre puedes abandonar tu mano. Si te ven, puede que tengas suerte en el *flop*. De lo contrario, tendrán que actuar primero y, si muestras debilidad pasando (y es muy común que los jugadores pasen hasta el que ha apostado el primero), puedes atacarlos con otra apuesta. Si no han ligado nada, lo más probable es que te den el bote.

Cara a cara

Cuantos menos jugadores haya en la mesa, más agresivo puedes permitirte ser. Y cuando la acción pasa al cara a cara, cuando solo te enfrentas a un oponente, es hora de quitarse los guantes. Ahora, las manos que no te plantearías jugar demasiado se transforman en monstruos. Y cuanto más puedas presionar a tu oponente, más

CONSEJO

Es muy difícil obligarse a ser agresivo en la mesa de póker. Si normalmente juegas ajustado, intenta actuar de forma agresiva durante una partida. Sube un montón de botes teniendo posición y fíjate en quién abandona y quién reacciona; después, intenta añadir dicha agresividad a tu forma de jugar.

ventaja tendrás. Quieres ser el que hace siempre las preguntas, no el que las contesta. De manera que sube con más manos y, si crees que no tiene nada, resube. En esta etapa, la información es absolutamente vital, por lo que puede que valga la pena abandonar algunas manos, si puedes permitirte su coste, para ver cómo juega. Cuando puedas valorar a tu oponente para colocarle en manos, más cerca estarás de ganar.

Farolear

Uno de los conceptos clave del póker es que realmente para ganar no necesitas tener la mejor mano. Al apostar de forma agresiva puedes echar a gente del bote, aunque tengan una mano ganadora. Y al farolear puedes llevarte el bote con dos cartas cualquiera si lo haces en el momento adecuado y a la perfección.

¿Qué es farolear?

Farolear es mentir sobre tu mano, echar a todos los demás del bote con una mano débil. Es lo que hace que el póker sea un juego tan bueno. Sin los faroles, todo consistiría en meter dinero en el bote para que se lo llevara la mejor mano. Farolear es lo que diferencia al buen jugador del malo, y al legendario de todos los demás.

Tipos de farol

Existen dos clases de faroles: el farol a sangre fría y el semifarol.

• **El farol a sangre fría:** es un farol total, en el que solo puedes ganar la mano si tu oponente abandona. En el siguiente ejemplo te han dado la peor mano posible en el póker, 7-2 desparejado, pero te sientes juguetón y todos han abandonado hasta llegar a ti, que estás en el botón. Has hecho una gran subida, pero la ciega grande te ve.

A SANGRE FRÍA

Tu mano

Mano del oponente

El _flop_

Tienes la peor mano, pero si posees el valor de tirarte un farol, todavía puedes ganar el bote.

Tu mano:	7h-2c
Su mano:	Jh-Jd
El _flop:_	As-Ac-Qd

Tras el _flop_, tu oponente ha realizado una apuesta razonable. Decides que no tiene un As ni una Reina y le subes una cantidad sustanciosa. Tras pensárselo un tiempo, se ve obligado a tirar su mano ganadora. Felicidades, acabas de completar uno de los movimientos más emocionantes del póker.

Si intentas un farol a sangre fría es muy importante que sepas a quién estás intentando engañar. En el ejemplo anterior, si tu oponente era una roca que solo jugaba manos ganadoras, la apuesta tras el _flop_ habría indicado que había ligado el As o la Reina.

De la misma forma, si tu oponente ve tu subida, o aún peor, decide resubirte, es hora de admitir la derrota y abandonar. Si te han faroleado, entonces es hora de descubrirse ante el enemigo, pero lo más probable es que estuvieras perdiendo y en una situación muy mala.

SEMIFAROL

Tu mano

Mano del oponente

El *flop*

No estás ganando el bote, pero si te ve, tienes muchos outs con los que podrías ganar la mano.

¡Avanzado!

¿Cuándo deberías tirarte un farol? Debes tener mucho cuidado de no acabar metido en un farol del que no puedas salir. Si no has hecho ninguna mano y disparas una gran apuesta que es vista o subida por un oponente, es hora de pensarse muy bien qué clase de jugador es y con qué puede estarte subiendo o viendo.

Si estás convencido de que todavía muestra debilidad, dispara otra apuesta en la siguiente ronda de apuestas. Si te sigue viendo o subiendo, puede que sea hora de abandonar. No hay nada más humillante que verse obligado a mostrar un farol fallido en el *river* a un oponente que ha visto todas tus apuestas.

• **El semifarol:** en este caso, apuestas con una mano que, probablemente, no es la mejor, pero tiene *outs* para mejorar y puede hacerte ganar el bote aunque te vean.

Tu mano: 6s-8h
Su mano: Ac-8c
Flop: 7h-9s-Ad

Tras el *flop*, has decidido fingir que tienes un As y has apostado. Farolear con una carta aterradora como un As es muy eficaz cuando tu oponente no la tiene. Has pensado que si no tiene el As abandonará la mano, y si lo hace, todavía te quedan *outs* suficientes para que ganes la mano y le saques un montón de fichas. En este caso, te has topado con un As y tu oponente decide ver tu apuesta. Lo hermoso de tu mano es que todavía puedes ganar el bote si en el *turn* o el *river* aparece un Cinco o un Diez para completar tu escalera. Si logras hacerla, va a ser algo muy difícil de ver y puede que acabes sacándole todas sus fichas a tu oponente.

Jugar despacio

También puedes tirarte un farol inverso, es decir, fingir que tienes una mano débil cuando, de hecho, tienes un monstruo. Esto requerirá cierta teatralidad y firmeza, pero incluso así puede ser un movimiento muy peligroso que se puede volver en tu contra si dejas que tu oponente complete un proyecto sin que le cueste demasiado. Pero si lo perfeccionas, puedes acabar ganando muchísimas fichas a tus oponentes.

¿Cuántas veces debería farolear?

Esta pregunta tiene una respuesta muy sencilla: no demasiado a menudo. Farolea en exceso y te acabarán conociendo, en cuyo caso, tendrás que volverte conservador. Un observador de la mesa se habrá fijado en que te gusta lanzar tus fichas por la mesa sin tener la mejor mano y podrás usarlo a tu favor. Juega manos *premium* y atraerás más atención de los jugadores que te hayan señalado como un bala perdida. Tras enseñar algunas manos *premium*, tu imagen en la mesa habrá vuelto a cambiar, la gente se meterá menos contigo y, si escoges el momento perfecto, puedes volver a tirarte algún farol. Mezclar constantemente tu juego de esta forma hará que tus oponentes no tengan ni idea de que estás jugando, que es exactamente lo que quieres.

Los faroles y la posición

Ya hemos hablado sobre la posición y de cómo queremos que estés lo más cerca que puedas del botón. Pero si quieres tirarte un farol, a menudo lo mejor es actuar primero.

Tu mano:	10s-8h
Su mano:	Jc-4h
Flop:	Ac-Kd-2h

POSICIÓN DE FAROL

Tu mano

Mano del oponente

El *flop*

Si tú actúas primero, puedes utilizarlo en tu favor para farolear.

El *flop* no os sirve de nada a ninguno de los dos y tú actúas primero. Haces una apuesta y pones a tu adversario en una situación casi imposible. Aunque crea que estás faroleando, no podrá ver tu apuesta. Todo lo que puede hacer es resubirte (un movimiento extremadamente peligroso) o abandonar su mano. Nueve de cada diez veces hará esto último, sobre todo si has subido antes del *flop*, mostrando fuerza.

Obviamente, esto resulta más peligroso cuantos más jugadores queden por actuar. Solo una persona muy valiente (o necia) decide farolear cuando todavía quedan por actuar seis jugadores. Las probabilidades de que alguien conecte la mano aumentan con cada jugador que permanezca en la misma.

Magia negra

No olvides que farolear es un arte que de vez en cuando se volverá en tu contra. La única forma de mejorar es con la práctica. Empieza por el semifarol y, de vez en cuando, lanza un farol a sangre fría. Recuerda que para obtener beneficios no hace falta que todos los faroles tengan éxito. Y no hay nada más satisfactorio que robarle a alguien un bote grande gracias a un farol, además de enseñarle tus cartas después de hacerlo. Aunque si eres un buen jugador de póker, no deberías hacer eso nunca, con independencia de lo tentador que resulte. Pero tampoco caigas en la tentación de farolear demasiado, ya que te acabarán pillando.

Señales

Ya sabes cómo farolear a tus oponentes, pero puedes tener por cierto que, de la misma forma que te tiras faroles, ellos también lo harán contigo. La cuestión es, ¿cómo puedes saber cuándo va a intentarlo un oponente o si en realidad tienen una mano monstruosa contra la que no quieres meterte? Aquí es donde las señales (interpretación del lenguaje corporal o el comportamiento de alguien) entran en acción. Las señales son acciones físicas que proporcionan información sobre la mano de esa persona. Todos emitimos señales, incluso los mejores jugadores del mundo, pero el objetivo del póker es ver las de los demás y evitar las tuyas.

¡ANÉCDOTA!

Stu Ungar fue considerado el mejor jugador de cartas del mundo. También era aterradoramente bueno poniendo a la gente en manos, lo que hacía que jugar contra él fuera casi imposible. Un ejemplo de esta habilidad tuvo lugar contra el campeón del mundo de 1990 Mansour Matloubi. Estaban jugando cara a cara cuando Matloubi hizo *all-in* en el *river*. Ungar lo vio y puso a Matloubi en un proyecto fallido de escalera, que era exactamente lo que tenía. Y, para empeorar las cosas, le ganó la mano con un Diez, una mano que solo podía ganar a un farol a sangre fría.

La fuerza es debilidad

Una de las reglas más importantes de las señales dice que cuando alguien actúa con fuerza es que en realidad es débil, y viceversa. Si estás sentado junto a alguien que ha actuado tímidamente a lo largo de toda la partida y, de repente, hace un movimiento rápido y violento con un montón de fichas, es probable que se esté tirando un farol. Y, cuando un jugador locuaz de repente se calla y anuncia una subida con apenas un susurro, ya puedes apostar a que tiene un monstruo.

Puede parecer obvio, pero evitar esta clase de comportamiento en un juego competitivo resulta extremadamente difícil. Te dan una pareja de Ases y tu reacción instantánea es actuar con normalidad, pero el mero acto de tener que decirte eso a ti mismo significa que tu cuerpo intenta actuar con normalidad y, como resultado, muestras un comportamiento extremadamente anormal. De repente, callas o permaneces inmóvil o con la mirada fija en algún sitio. Y esta diferencia en tu comportamiento puede aprovecharla un jugador de póker más experimentado.

¿Cómo puedes ver las señales?

Todo lo que tienes que hacer es observar a tus oponentes con atención. Algunos jugadores no pueden ni siquiera evitar las señales más evidentes y, si observas las manos que se ven obligados a mostrar, así como su actuación durante las rondas de apuestas, podrás crearte un perfil bastante certero de su forma de jugar.

En los niveles altos esto resulta muy difícil, ya que los jugadores más veteranos han dedicado mucho tiempo a erradicar de su juego todas las señales, excepto las más sutiles. Tú no puedes llegar todavía a tanto, pero te darás cuenta de que a medida que vas adquiriendo experiencia en el juego irás fijándote en más cosas y empezarás a tener presentimientos de cuándo alguien te intenta engañar. No se trata de nada extraordinario; simplemente eres más consciente del comportamiento de los demás jugadores. Haz caso a tus presentimientos y comprobarás que a menudo tienes razón.

¿Cómo puedes evitar las señales de tu juego?

Puede ser muy difícil, especialmente si eres un principiante. Intenta evitar tu forma de actuar y de jugar cuando tengas manos muy fuertes o faroleas, y trata de actuar de la misma forma que si fueran manos normales. Si ves que te resulta difícil, la próxima vez que te repartan una pareja de Ases intenta visualizar una mano muy débil. Imagínate que son un 7-2 desparejado y juega como si lo fuera (obviamente, evitando abandonar antes del *flop*).

Intenta adoptar una rutina de juego y síguela, con independencia de las cartas que tengas.

Mira tus cartas y pon tus fichas en el centro siempre de la misma forma. Si te gusta charlar, no te detengas aunque tu mano sea débil o un monstruo. No dejes que te pillen.

Señales frecuentes

Está faroleando

• Movimientos extraños al farolear

Tu oponente ha estado apostando moviendo cuidadosamente sus fichas durante toda la noche, y, de repente, hace un gesto, una floritura y aplasta las fichas como si fuera un oso. Está fingiendo fuerza, pero en realidad es muy débil.

Algunos jugadores hacen cosas casi increíbles para evitar mostrar señales. El gran profesional Phil «The Unabomber» Laak lleva gafas de sol, se pone su capucha y la cierra durante los momentos particularmente tensos.

• Temblor en el cuello

Es casi imposible de controlar, pero es una señal clara de que alguien está más nervioso de lo que parece.

• Taparse la boca

Se trata de una reacción muy común al farolear que te traslada de nuevo a tu infancia. Lo mismo se aplica a rascarse la nariz.

• La mirada fija/tensar la mandíbula

Ambos son intentos de mostrar fuerza, pero en realidad se hace patente la debilidad. No caigas en esto.

Es fuerte

· Moverse hacia delante en el *flop*

Si un oponente conecta en el *flop*, verás cómo se adelanta imperceptiblemente hacia él. Es un movimiento inconsciente y no tendrás que fijarte mucho para verlo, pero es muy frecuente. De la misma forma, si no le gusta el *flop*, se moverá hacia atrás.

· Manos temblorosas

Es una señal extremadamente común que es casi imposible de erradicar. Las manos que empiezan a temblar de repente, sobre todo cuando se ponen fichas en el centro, son señal de mucha fuerza.

· Suspirar

Cualquier clase de sonido negativo, ya sea un suspiro o decir «Oh, oh» es una señal de fuerza. En especial cuando el jugador ve una apuesta tras este acto.

· Mirar sus fichas

Si tu oponente mira sus cartas y después sus fichas, es probable que esté pensando en apostar y calculando cuándo debería arriesgar. Es una clara señal de fuerza.

Bad beats

Acostúmbrate al término *bad beat* porque lo vas a oír mucho cuando empieces a jugar al póker. De hecho, además de presumir de sus victorias, la afición favorita de un jugador de póker es quejarse de su última *bad beat*.

Pero, ¿qué son las *bad beats*? Las *bad beats* tienen lugar cuando un jugador entra en un bote con la mejor mano y es superado por otro jugador con una mano mucho peor. ¿Qué define a una *bad beat*? Es indiferente lo mucho que alguien se esfuerce en demostrarte lo contrario, ya que una *bad beat* solo tiene lugar cuando es un resultado irracional, y cuando todas las probabilidades indican que deberías haber ganado el bote.

La mano inferior le sucedió a uno de los autores. Estaba en un cara a cara cuando hizo un *full*. Su oponente no se dio cuenta, pero la única forma en la que podía ganar la mano era que dos de los tres

BAD BEAT

Jugador 1

Jugador 2

El *flop*

El *turn*

El *river*

Es muy improbable, pero antes o después caerás en una mano como esta. Aprende a superarlo.

Ases restantes apareciesen en el *turn* y el *river*, una probabilidad del 0,40 %. Ya puedes imaginarte lo que ocurrió.

Jugador 1:	Qd-3h
Jugador 2:	Ad-10s
Flop:	Qh-Qs-3d
Turn:	Ac
River:	As

¡ADVERTENCIA!

Las historias de *bad beats*, como la que se ha explicado, son muy aburridas. Cuando cuentas alguna, eres solo un poco más interesante que una clase de economía un viernes por la tarde. No te excedas.

Puede que pienses que esto no debería ocurrir en el póker, pero lo hace. Todo lo que puedes hacer es jugar cartas buenas y esperar que la suerte te sonría. Recuerda que sin las decepciones no hay alegrías y no dejes de cruzar los dedos para que no te pase una cosa así en la mesa final de las World Series. Y si te ocurre, te habrás ganado nuestras simpatías. Pero, ¿por qué hablamos de *bad beats* en el capítulo de estrategia? Porque si no tienes cuidado, pueden conducirte a la peor pesadilla del jugador de póker...

¡Enfado!

¿Qué es peor que una *bad beat* en el póker? Que después te enfades y pierdas todas tus fichas. El póker es un juego emocional que exige una importantísima concentración en todo momento, en especial cuando juegas partidas sin límite en las que un error te puede hacer perder todo. El enfado se convierte en un estado que tiene lugar cuando has tenido una o varias manos particularmente malas, si has jugado mal o si has tenido la mala suerte de verte superado terriblemente. Algunas personas se enojan con más facilidad que otras. Si eres una persona emotiva o alguien que pierde los nervios fácilmente, vas a tener que esforzarte más para mantener la calma en una mesa de póker. Pero no importa lo tranquilo que seas, ya que en alguna ocasión te sucederá y, cuando lo haga, tienes que minimizar los daños. Estas cuatro reglas deberían ayudarte...

• **Trata cada mano como si fuera nueva**, con independencia de lo que te haya ocurrido en la mano anterior, ya que la mesa no te debe nada. Centrarse en las derrotas es la forma más rápida de perderlo todo.

• **Es indiferente lo poco que te quede tras perder;** no debes olvidar que todavía puedes volver a subir si juegas con cuidado y de forma frugal. No lances todas tus fichas en la siguiente mano ni admitas la derrota.

• **No juegues la siguiente mano** a menos que sea una mano *premium*, e incluso en ese caso juégala con cuidado. Si tienes un monstruo, tus oponentes pueden creer que estás apostando de forma descuidada y verte. Pero esto se convierte en una espada de doble filo: quieres sus fichas, pero no deseas que te vea un grupo de personas ansiosas de quitarte tus fichas y que al final no seas el favorito para llevarte el bote.

• **¿Enfadado de verdad?** Da un paseo. Respira un poco de aire fresco, bebe un poco de agua, respira hondo y despéjate. Perder las ciegas en una mano o dos es mucho mejor que explotar y perder todas tus fichas.

Cuidado con el novato

Jugar contra principiantes no es tan fácil como parece. Has estado meses estudiando el juego y has dominado sus sutilezas hasta convertirte en un artista. Pero ellos no, y van a tener la misma suerte que tú. Así que si te encuentras con un novato, no...

• **Farolees** No va a saber lo que hace, así que te verá casi con cualquier cosa. Incluso si en el *flop* hay dos Ases y él no tiene ninguno, te verá.

• **Intentes leerlo** Una vez más: no sabe lo que hace o la fuerza de las cartas que tiene, ¿así que cómo vas a poder leerlo?

• **Te enfades** cuando te gane. El póker es un juego de habilidad y suerte y esta última es la que hace que los malos jugadores vuelvan a por más. Quieres jugar contra malos jugadores, y si juegas bien tus cartas, acabarás ganando. No te enfades con alguien que ha vivido cinco minutos de gloria porque ha tenido suerte en el *river*. Las *bad beats* forman parte del juego y, si quieres tener éxito, has de saber enfrentarte a ellas.

Estrategias específicas

Aquí tienes algunas estrategias básicas que debes seguir si juegas en torneos de una mesa, torneos multimesa o partidas con dinero. Son muy simples, pero deberían proporcionarte una buena base sobre la que construir tu propio juego. Recuerda que cada partida de póker va a ser diferente y que una táctica que podría funcionar en una mesa puede volverse en tu contra en otra. Debes afinar tu propio estilo y saber adaptarte a cualquier situación cuando sea necesario.

Torneos de una mesa (STT)

Los STT son la forma más popular de póker en Internet, y su popularidad ha permitido que entren en los casinos y las salas de cartas reales. Un STT es un torneo en el que cada jugador paga la misma cantidad de entrada y recibe el mismo número de fichas. Entonces, juegas hasta que una persona tenga todas las fichas, aunque en una mesa completa de 10 personas suele haber premios para los tres primeros.

La estructura de premios puede cambiar de mesa a mesa, pero en un *sit-and-go* de 20 € para 10 personas puedes esperarte los siguientes premios:

Dinero total para premios: 200 €		
1.º	50 %	100 €
2.º	30 %	60 €
3.º	20 %	40 €

Puede que también tengas que pagar una cuota de entrada, que es el dinero que se lleva la página de Internet o el casino por preparar la partida. Normalmente, la cuota es un 10 % de la entrada, así que puede que veas el *sit-and-go* anunciado como una partida 20 € + 2 €, en el que los 2 € son la cuota.

Los *sit-and-go* son populares, porque duran un tiempo más o menos estándar. Si juegas uno para 10 personas, puedes calcular que acabarás en una hora o dos, dependiendo de si juegas *online* o en la vida real (el póker *online* es mucho más rápido) y si estás con jugadores ajustados o agresivos. A diferencia de las partidas con dinero, aquí sabes

cuánto dinero arriesgas cuando empiezas y cuánto puedes ganar.

Y lo que es más importante, los *sit-and-go* son adecuados para ciertos jugadores que quieran conseguir dinero con cierta regularidad. Algo que no puedes decir de los torneos multimesa, en los que cientos de jugadores se enfrentan y debes tener mucha suerte para sobrevivir.

Tácticas

Existen muchas formas de jugar un STT, pero con independencia de la táctica que uses, la acción se puede dividir en tres partes: inicial, media y final. Y como sabes que vas a tener que jugar contra los mismos jugadores hasta el final, es crucial que, desde el principio, obtengas tanta información de tus oponentes como sea posible.

Fase inicial (8-10 jugadores)

Las ciegas van a ser muy bajas y no vale la pena robarlas. Deberías usar la fase inicial de un *sit-and-go* para estudiar a tus rivales con atención e intentar separar a las rocas de los maníacos. Toma nota de esto y podrás empezar a robar las ciegas cuando valga la pena hacerlo. Procura no involucrarte demasiado en cualquier confrontación a menos que estés seguro de ganar. Juega manos *premium* y estate dispuesto a abandonarlas si no conectas. Y solo deberías ver un *all-in* si tienes la mano máxima. (Si hay una mano mejor, es probable que tu oponente la tenga. Y recuerda que, si llegas al enfrentamiento, quieres que todos vean que tienes manos *premium*.)

Fase media (5-7 jugadores)

Ya se ha levantado un par de jugadores malos/desafortunados y deberías tener cierta idea de cómo juega el resto de la mesa. También tendrías que haber creado una imagen de jugador extremadamente ajustado que solo juega manos *premium*. Si te ha funcionado y has tenido buenas

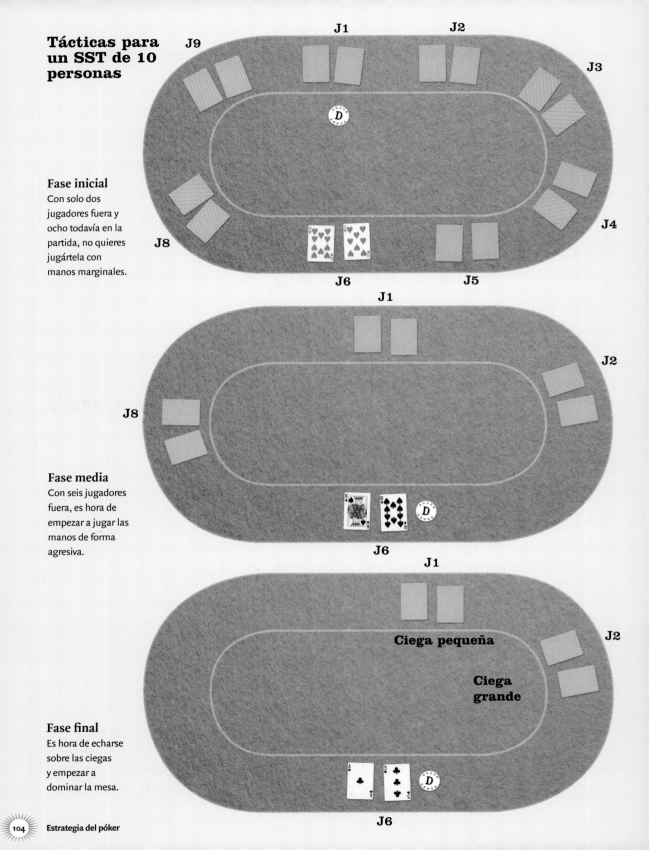

Tácticas para un SST de 10 personas

J9 **J1** **J2** **J3**

D

Fase inicial

Con solo dos jugadores fuera y ocho todavía en la partida, no quieres jugártela con manos marginales.

J8 **J4**

J6 **J5**

J1

J8 **J2**

Fase media

Con seis jugadores fuera, es hora de empezar a jugar las manos de forma agresiva.

D

J6

J1

Ciega pequeña

J2

Ciega grande

Fase final

Es hora de echarse sobre las ciegas y empezar a dominar la mesa.

D

J6

cartas, deberías disponer de una cantidad de fichas decente, y no tendrías que cambiar de táctica. Si estás por debajo de la media de fichas, es hora de mostrarse más agresivo. Puedes utilizar tu imagen ajustada para robar ciegas (que ahora ya valdrán más) y atacar de manera activa a los jugadores que has marcado como débiles.

Fase final (2-4 jugadores)

Estás muy cerca del dinero y, en este momento, los jugadores más débiles empezarán a jugar de forma ajustada por miedo a caer en la burbuja. Para ganar tienes que superarla, de modo que empieza a jugar de forma agresiva manos que en las fases anteriores habrías abandonado.

Aprovéchate de la ciega grande y la pequeña siempre que estés en el botón y ataca a cualquier jugador que parezca reacio a jugar manos. Es sorprendente lo que pueden llegar a hacer para alcanzar los puestos con premio. Pero cuidado con los jugadores con pocas fichas. Si se acercan peligrosamente al nivel en el que no van a poder cubrir las ciegas, empezarán a restarse con manos medias y lo último que quieres hacer es lograr que se doblen.

¡Avanzado!

Descubrirás que los *sit-and-go* varían mucho dependiendo de con quién estés en la mesa y puede que adviertas que la estrategia básica que te hemos explicado no siempre funciona. Pero lo que sí explica es una de las principales estrategias para jugar al póker con éxito, conocida como *cambiar de marcha*. A medida que avanzas en el *sit-and-go*, debes prepararte para volverte más y más agresivo a medida que queden menos jugadores. Si te vuelves ajustado cuando se acerca la burbuja, vas a descubrir lo difícil que es acumular suficientes fichas para luchar por el primer puesto, y normalmente ahí se gana más que en el segundo y el tercero juntos.

¡ADVERTENCIA!

Las mesas con seis e incluso cinco jugadores son extremadamente populares, ya que puedes jugar en una durante el descanso para comer del trabajo. Y a menudo se juegan con reglas turbo o turbo extremas, en las que las ciegas suben muy rápido, a veces en tan solo 15 minutos.

No queremos sugerirte que evites estas mesas, ya que pueden resultar muy divertidas y, si no tienes demasiado tiempo, puede que sean tu única opción. Pero todas ellas tienen en común el hecho de que desaparece mucha de la habilidad del póker y se reemplaza por suerte, por lo que bastantes jugadores las ven como una especie de lotería. Sin embargo, otros juran que son perfectas para su estilo agresivo. Si te metes en una, abre el rango de tus manos iniciales todo lo que puedas. Las ciegas van a moverse con tanta rapidez que si esperas que te toque una mano *premium*, lo más probable es que te quedes sin fichas antes de que te llegue.

Torneos multimesa (MTT)

¿Lees este libro para convertirte en millonario? Pues entonces los torneos multimesa son la mejor forma de lograrlo. Son los grandes torneos y, cuanto más grandes sean, mayor será el premio. Pero para triunfar necesitas una estrategia fuerte y mucha suerte. No puedes controlar esta última, pero si usas un plan sólido y lo sigues, te habrás merecido tener suerte. Lo primero es decidir qué manos iniciales vas a jugar y cuáles no. Y si tu objetivo es ganar, jugar siempre de forma ajustada no resulta adecuado, porque, cuando consigas una mano, tus oponentes más agresivos tendrán ya unas cajas monstruosas que habrán logrado al atacar a los jugadores más débiles. Necesitas dividir tu mesa en dos clases de jugadores: las rocas, que abandonarán ante cualquier subida excepto si tienen una mano *premium*, y los jugadores agresivos, que al igual que tú quieren mandar en la mesa. Al principio

En los torneos multimesa es donde se ganan las cantidades de dinero que cambian la vida.

no deberías meterte en un bote a vida o muerte, de modo que resulta importante evitar a esta gente. Sé agresivo, pero con cuidado. Usa bien tu posición y estate preparado para apartarte, a menos que tengas un monstruo, si uno de los jugadores ajustados de repente comienza a jugar contra ti.

A medida que avance el torneo deberás prestar atención a tus fichas, tanto con respecto a la cantidad media como a la de tus compañeros de mesa. Intenta mantener tu caja por encima de la media en todo momento y si empiezas a quedarte corto, haz un movimiento antes de tener que llegar al punto de que tus fichas no sean suficientes para asustar a alguien y hacer que abandone un bote. De hecho, cuanto mayor sea tu caja, más agresivo podrás ser y tendrás más libertad para jugar manos iniciales, pero no te dejes llevar. Volverte demasiado agresivo e involucrarte en botes en los que no deberías estar o ver con manos más débiles solo porque te lo puedes permitir son algunas de las formas más rápidas de convertir tu gran montón de fichas en uno pequeño.

Y, por encima de todo, no olvides que si no haces all-in no existe riesgo de perderlo todo. Los mejores

jugadores procuran arriesgar todas sus fichas lo menos posible. Incluso si entras en el bote como favorito, siempre existe la posibilidad de que te superen, de modo que, ¿para qué arriesgarlo todo? Recuerda que incluso los Ases pierden más o menos una de cada cuatro veces. Si tienes la suerte de recibirlos cuatro veces en un torneo y haces all-in siempre que los tengas, la estadística dice que perderás una vez, y si te jugabas todas tus fichas, el torneo habrá terminado para ti.

Partidas con dinero

Las partidas con dinero, o *ring games*, son otra cosa completamente diferente y requieren una estrategia distinta. De hecho, los torneos y las partidas con dinero tienen tantas diferencias que un gran número de jugadores solo juegan a uno de ellos, pero no a ambos. En una partida con dinero, las fichas tienen un valor monetario exacto y cada mano se juega con dinero. No tienen un comienzo ni un final fijo, juegas todo lo que quieras, o mientras te dure el dinero.

¿Cuál es tu juego?

En las partidas con dinero es crucial que te limites a usar lo que ya conoces. Si eres un jugador regular de Hold'em, pasar al Omaha puede resultar algo negativo. Y debes saber que las partidas solo *high* son muy diferentes de las *high-low*. Los distintos límites ejercen un impacto enorme en el juego. Las partidas más seguras son, obviamente, las que tienen límites fijos bajos en las que las apuestas disponen de un tope (normalmente solo se puede subir tres veces por ronda) y ninguna apuesta puede superar el límite.

Las partidas sin límite son extremadamente peligrosas si juegas con dinero. Si has entrado en una partida con toda tu banca, entonces puede que acabes en la bancarrota tras jugar solo una mano. Ten mucho cuidado e intenta entrar en una partida con solo lo que te puedas permitir perder.

¡Avanzado!

Quizás pienses que el peor puesto en el que puedes terminar un torneo es el último, pero te equivocas. Es muchísimo peor lidiar en una enorme batalla, jugando al póker, algunas veces durante días, únicamente para caer en la última posición antes del dinero. Esto se conoce como *salirse de la burbuja* y puede resultar deprimente.

De manera que la mejor forma de acumular fichas cuando se aproxima la burbuja es atacar a las cajas medias. Decimos cajas medias porque atacar a las pequeñas puede ser peligroso, ya que el oponente puede verse obligado a hacer *all-in*. Los jugadores con cajas medias saben que si juegan de forma conservadora es probable que consigan dinero y que si no se involucran demasiado puede que acaben a la mesa final, en la que los premios se disparan. Aprovéchate de ellos, pero utiliza todo lo que has aprendido acerca de estas personas para evitar a los jugadores agresivos que quieran conseguir el primer premio, quienes probablemente se defenderán.

Consejos para partidas con dinero

Es muy importante que valores a tus adversarios lo antes posible. ¿Intentan completar manos con proyectos que son difíciles de completar? ¿Son agresivos? ¿O solo apuestan cuando han hecho una mano?

Cuanto antes puedas etiquetar a tus oponentes, antes podrás modificar tu juego para adaptarte a ellos. Y debido a la naturaleza de las partidas con dinero, lo más probable

En las partidas con dinero, todas las fichas que apuestas representan cantidades reales de dinero.

CONSEJO

Las partidas con límite suelen tener menos faroles salvajes. Cuando verle las cartas a tu oponente solo cuesta una apuesta más, muchas más manos llegan al enfrentamiento y esto significa que, por lo general, necesitarás una mano mayor para ganar. No apuestes con manos con las que creas estar perdiendo.

es que permanezcas sentado mucho tiempo con la misma gente.

Sin suerte

Si no consigues cartas, entonces levántate (o haz clic en el botón de levantarte si estabas jugando *online*). Tómate un descanso, respira un poco de aire fresco y despéjate. Si de verdad crees que no es tu noche, recoge tus fichas y vete. En las partidas con dinero, no tiene sentido intentar recuperar las pérdidas, ya que siempre acabarás empeorando las cosas.

Sigue tu plan

Si tu plan era gastarte 50 € e irte si los perdías, hazlo. Siempre existe la tentación de seguir jugando, especialmente si has perdido a causa de una *bad beat*. Pero intenta resistirte, puesto que es el camino más rápido para perderlo todo.

¡Avanzado!

Puede que acabes dominando un juego con límite y, si ganas regularmente, deberías plantearte subir de nivel. Quizás tardes un tiempo en hacerte un lugar en el nuevo nivel, pero económicamente valdrá la pena. Y no caigas en la tentación de saltarte uno, puesto que el vacío será demasiado grande y quizás salgas de tu zona de comodidad y apuestes cantidades que no puedes permitirte perder. Cuando te ocurra esto, jugarás, invariablemente, un póker perdedor.

Outs	A falta de 2 cartas	A falta de 1 carta
1	4 %	2,2 %
2	8 %	4,3 %
3	12 %	6,5 %
4	16 %	8,7 %
5	20 %	10,9 %
6	24 %	13,0 %
7	28 %	15,2 %
8	32 %	17,4 %
9	35 %	19,6 %
10	38 %	21,7 %
11	42 %	23,9 %
12	45 %	26,1 %
13	48 %	28,3 %
14	51 %	30,4 %
15	54 %	32,6 %
16	57 %	34,8 %

50x, la ciega grande

¿No sabes qué nivel de partida *cash* deberías jugar? Las partidas con límites de 1 € o 2 € pueden parecer baratas; sin embargo, los botes aumentan con rapidez. La regla general consiste en que no deberías entrar en una partida con menos de 30 veces el límite superior. Esto significa que para jugar cómodamente en una partida de límite 1-2 € necesitas 60 €. Si entras con menos, tendrás muchos problemas y no podrás aguantar una mala racha con las cartas.

Probabilidades de bote

Ya hablamos sobre las probabilidades básicas de bote en el capítulo dedicado al Hold'em, y si juegas partidas con dinero es esencial que conozcas las matemáticas básicas del juego. En su aspecto más básico, es un juego en el que pones dinero (tu apuesta) para llevarte el dinero del bote. Es obvio que si eres el favorito para ganar la mano siempre deberías apostar. ¿Pero cómo saber si eres el favorito? ¿Y si vas por detrás? ¿Deberías ver otra apuesta con la esperanza de que tu mano mejore o quizás tendrías que recortar tus pérdidas y abandonar? Lo que necesitas saber es si tus probabilidades de bote son favorables. Puedes usar esta tabla para calcular tus posibilidades de ganar una mano o usar la siguiente fórmula sencilla. No posee una precisión científica, pero se aproxima mucho...

• A falta de dos cartas, multiplica tu número de *outs* por cuatro.

• A falta de una carta, multiplica tu número de *outs* por dos y suma dos.

Ahora, observa el siguiente ejemplo.

Probabilidades de bote

Tu mano

El *flop*

Las probabilidades de bote te dirán si debes jugar esta mano.

Tu mano: 6s-7c
El *flop:* Ac-5d-8h

Ejemplo uno: buenas probabilidades de bote
El bote: 150 €
Tu apuesta para ver: 15 €

En esta mano, con el *flop,* has hecho un proyecto de escalera de dos puntas, pero estás seguro de que tu oponente tiene un As y acaba de lanzar otra apuesta al bote. Tienes ocho *outs* (cuatro Cuatros y cuatro Nueves). A falta de dos cartas (el *turn* y el *river*) tienes un 32 % de probabilidades de hacer tu mano. Y solo te están pidiendo que pongas 15 € en el bote, de modo que tienes probabilidades favorables para tu dinero (estás sacando 10/1 por una apuesta 4/1).

Ejemplo dos: malas probabilidades de bote
El bote: 100 €
Tu apuesta para ver: 50 €

Aquí tienes el mismo número de *outs* e idéntico porcentaje de completar tu mano, un 32 %, pero esta vez solo ganas 2/1 de dinero con una probabilidad 4/1 de lograrlo. Deberías abandonar la mano.

Resumen

- **La posición es poder.**
- **La agresividad selectiva es una táctica ganadora.**
- **Las manos iniciales buenas son los cimientos de un póker sólido.**
- **Farolear es un arma poderosa.**
- **Todo el mundo tiene señales, el truco está en saber encontrarlas.**
- **Todo el mundo sufre *bad beats*.**
- **Pero no todos se enfadan cuando les ocurre.**

¡Avanzado!

¿Cuándo debes abandonar una partida con dinero? Lo cierto es que si te estás enfriando y has perdido tu entrada inicial, es hora de marcharte. Intentar recuperar las pérdidas nunca es bueno. Pero ciertas personas creen que se debe tener una cantidad fija a la que si se llega también marque el final de la partida. El razonamiento que subyace tras esta idea es que una partida con dinero no tiene un final predeterminado y, si sigues jugando, hay bastantes probabilidades de que pierdas todo lo que has ganado. Y en eso hay algo de verdad. Si sigues jugando durante días te cansarás y empezarás a cometer errores y a tomar malas decisiones. Pero digamos que estás en la mejor partida posible. Estás con unas personas que apuestan en todos los botes, aunque no tengan nada en la mano. Todo lo que debes hacer es apostar con manos buenas y no perderás. ¿Deberías abandonar esta partida? No. Quédate todo lo que puedas y sácales todo el dinero. Las mesas de ensueño como esa no aparecen bastante a menudo, así que aprovéchalas al máximo. Pero intenta mantener un registro de tus ganancias y pérdidas. Es la única forma de saber si estás ganando o perdiendo.

Póker
online

«Antes se decía que si no sabías con quién estabas en la mesa, te encontrabas en una buena mesa. Ahora puedes estar con un tipo que parece un sueco cualquiera y resulta que en la red ha ganado millones.»
DANIEL NEGREANU (jugador de póker profesional)

En este capítulo aprenderás que...

No hace falta salir de casa para jugar una buena partida de póker. Las salas de cartas virtuales están abiertas las 24 horas del día, los 365 días del año y están repletas de gente como tú que juega a las cartas en busca de dinero. Pero también te permiten aprender a jugar gratis para después avanzar y jugarte millones desde tu propio dormitorio. ¿A qué estás esperando?

Internet ha ayudado a que el póker se haga famoso, así que prepárate para ver muchísimas películas nuevas sobre el póker, como *Lucky You*.

Póker *online*

Juega al póker cuando quieras y todo lo que quieras sin necesidad de salir de tu casa. Lo interesante de Internet es que en el ciberespacio siempre hay alguien que quiere jugar contigo a las cartas.

Todos los días, millones de personas juegan al póker por Internet, y cada vez son más. Es algo que ha revolucionado el juego y ha creado una nueva raza de jugador porque, aunque las reglas son las mismas, la naturaleza del póker *online* crea una experiencia completamente distinta.

Para empezar, no tienes que utilizar cartas.

Barajar, repartir y ver tus cartas son cosas que se hacen automáticamente. No puedes actuar fuera de tu turno, es imposible realizar apuestas ilegales y no debes preocuparte por tu aspecto personal (o el de los demás). Solo tienes que decidir a qué clase de juego quieres jugar, cuánto te quieres gastar y si vas a pasar, apostar, subir o abandonar. Todo ello haciendo clic en un botón. Y esto ejerce un enorme impacto en el juego.

Las diferencias

Inmediatamente advertirás que el póker por Internet es...

· Más rápido

El póker por Internet es mucho más rápido que el real. Si juegas una partida estándar, dispones de unos 30 segundos para tomar una decisión antes de quedarte sin tiempo y pasar/abandonar automáticamente. Pero las decisiones se suelen tomar de inmediato, a veces utilizando los botones de apuesta automática, lo que significa que puedes ver hasta 60 manos por hora, aproximadamente una por minuto. Si juegas en el mundo real, en el que hay que barajar, cortar, repartir y mover y

Decide cuánto quieres apostar y haz clic en el botón; cuando juegas al póker *online* solo te tienes que preocupar de eso.

En una partida normal de póker *online* tendrás unos 30 segundos para tomar una decisión. Si no actúas a tiempo, pasarás o abandonarás tu mano automáticamente.

apilar las fichas, no puedes alcanzar esta cantidad de manos.

· Más suelto

Como el póker *online* es más rápido y tienes menos tiempo para pensar, la gente arriesga más. Añade a la ecuación el hecho de que mucha gente juega en varias mesas a la vez, o mientras ve la televisión, y puedes encontrarte con una partida *extremadamente* agresiva en la que la gente juega manos que en un casino ni tocaría. Además, a esto ayuda el hecho de que no tienes que soportar a la gente riéndose en tu cara cuando enseñas el 7-2 desparejado que has estado jugando de forma agresiva en un *flop* con Ases y Reyes.

Existen pros y contras. Las buenas noticias son que una partida suelta rara vez aburre. Hay mucha acción y muchísimo dinero que llevarse. Por otro lado, vas a tener que aceptar más *bad beats* y que te van a ver, y posiblemente ganar, con un gran número de manos iniciales extrañas.

· Más accesible

Siempre hay una partida esperándote, y puedes jugar durante tanto tiempo como quieras, algo

que suena muy bien. Y que es genial, siempre y cuando juegues con responsabilidad. Pero si caes en una mala racha, puede que intentes recuperarte y acabes perdiendo más dinero. Si crees que las cosas no van bien, déjalo durante un día o dos antes de volver. No cometas el error de jugar mal póker solo porque es fácil.

· ¿A qué clase de juegos puedes jugar?

Al igual que en el mundo real, el Texas Hold'em es el amo y señor del ciberespacio, más del 80 % del póker *online* es Hold'em, pero si eres un admirador del Stud de siete cartas o del Omaha, podrás encontrar una partida en todas las grandes páginas. Juegos más específicos como el Draw de cinco cartas y el Draw triple también están disponibles, pero vas a tener que buscar muy bien.

Lo más importante es decidir si vas a jugar con dinero ficticio o real y si quieres partidas con dinero (*ring games*) o torneos. Las partidas con dinero *online* son iguales que las del mundo real, con límites que van de 0,25 €/0,50 € hasta cifras increíbles como 500 €/1 000 €, partidas en las que se ganan o se pierden miles de euros o dólares en una mano.

Freerolls

Los torneos *freeroll* son gratuitos, pero proporcionan premios reales. Y, además, están realmente bien. No tienen ningún problema, aparte del hecho de que son inmensamente populares y, por lo general, los juegan cientos e incluso a veces miles de jugadores, todos en busca de los mismos premios.

Normalmente, cuanto mayor sea el premio, más gente jugará. El Paradise Poker Million Dollar Freeroll es el ejemplo definitivo. Tal y como su nombre sugiere, es un torneo gratuito que tiene como primer premio un millón de dólares. ¿El lado malo? Que deberás luchar contra miles de jugadores hasta clasificarte para la final. Y entonces deberás ganar a otros miles de jugadores para llegar a la mesa final (que normalmente se juega en directo en algún lugar exótico).

¿El truco? No existe. No pagas y, aunque no ganes, conseguirás experiencia en torneos. Pero la naturaleza del *freeroll* implica que se juegue de una forma mucho más suelta que incluso por Internet. Lo que hace que resulte *increíblemente* suelto, sobre todo durante la primera hora del torneo, en la que algunos jugadores deciden que la mejor

CONSEJO

Puedes pasarte toda la vida buscando *freerolls* por Internet. Un tiempo que, siendo sinceros, emplearías mejor jugando al póker. Por ese motivo existen páginas maravillosas como www.freeroll-tracker.com. No aparecen todos los torneos de cada cliente de póker, pero te deja navegar por una miríada de torneos gratuitos distintos, lo que te ahorra mucho tiempo. Asegúrate de que no tienen condiciones de entrada (como puntos de fidelidad), y que el premio vale el tiempo que vas a tener que gastar. Luchar contra miles de personas y ascender durante cinco o seis horas para ganar 10 $ es una necedad.

estrategia es doblarse tan a menudo y rápido como sea posible. Intenta evitar las confrontaciones al principio, a menos que tengas la mano máxima.

Clasificaciones por satélite

¿Te apetece participar en el evento principal de las World Series of Poker, pero no puedes pagar la entrada de 10 000 $? Pues comienza a jugar satélites.

Encuentra los mejores *freerolls* en la web.

¿No te puedes permitir pagar la entrada del torneo Poker Million de Ladbroker? Clasifícate mediante sus satélites *online* diarios por tan solo 10 $.

Se trata de torneos clasificatorios para torneos mayores, *online* o en el mundo real, y te permiten participar en las partidas con mucho dinero por una pequeña inversión inicial.

La historia de Chris Moneymaker es la prueba de que el sistema funciona. Entró en un satélite de las World Series por 30 $, consiguió una entrada al evento principal y acabó ganando el torneo y embolsándose nada más y nada menos que 2,5 millones de dólares. No está nada mal por haberse gastado solo 30 $.

Online encontrarás clasificatorios satélite para cada gran torneo y algunos premios únicos, como cruceros de póker y torneos televisados.

Estrategia en Internet

Recuerda que el póker *online* utiliza las mismas reglas que el póker en vivo, de modo que puedes emplear todas las estrategias generales que te hemos comentado hasta ahora. Pero también hay varios consejos exclusivos para las partidas *online* que debes conocer para dominar el ciberespacio.

· Jugar gratis

Entra en cualquier página *online* y recibirás cierta cantidad de dinero ficticio, que puedes utilizar antes de hacer un depósito de dinero real. Es cierto que el póker es un juego de apuestas, y que sin el riesgo del dinero, el juego pierde bastante. ¿Entonces para qué quieres jugar gratis por Internet? La respuesta es muy sencilla... para mejorar sin que ello implique pérdidas económicas.

Existe un mito que rodea a las mesas de dinero gratuito de Internet: nadie se las toma en serio y no puedes jugar una partida decente. Pero eso no es cierto. Las mesas de dinero ficticio están repletas de gente como tú, que utilizan la oportunidad para mejorar antes de arriesgar su propio dinero. Es cierto que te encontrarás a algunos maníacos que lo verán todo solo porque pueden, pero no son demasiados.

Asimismo, recuerda que jugar gratis es una estrategia ganadora. No importa quién seas; cuando empiezas a jugar al póker pierdes mucho más de lo que ganas, pero la cantidad de tiempo que pierdas depende de la rapidez con la que aprendas. Para

Puedes usar las mesas gratuitas para practicar juegos o formatos que no te sean familiares, lo que te evita arriesgar tu dinero.

algunas personas es un mes. Otros necesitan varios meses para perfeccionar sus habilidades. Pero con independencia del tiempo que precises, invertirlo en las mesas de dinero ficticio resulta inmensamente beneficioso. Desarrolla tus habilidades y mejora tu confianza en dichas mesas y después piensa en hacer tu primer depósito de dinero real.

· Gestión económica

Cuando empieces a jugar con dinero, descubrirás que es muy fácil olvidarse de lo que te has gastado. Asegúrate de llevar bien la cuenta de todo lo que has depositado, lo que te queda en la cuenta y, por último, si estás ganando o perdiendo.

Siempre debes jugar con responsabilidad. Decide cuánto puedes permitirte perder y fija tus propios límites.

Visita www.recpoker.com para leer consejos de gente de todo el mundo.

Decide qué quieres sacar de todo esto. Si juegas al póker para ganar dinero no deberías hacer depósitos continuamente, ya que es una señal clara de que estás perdiendo. Si solo juegas para divertirte y no esperas conseguir beneficios, decide la cantidad que puedes permitirte perder al mes y no pongas más dinero en la cuenta. En la mayoría de las páginas *online* puedes fijar tus propios niveles, es decir, la cantidad de dinero que no quieres superar. Si llegas a dicha cantidad, es indiferente lo mucho que te esfuerces, ya que la página no aceptará tu dinero.

Todo esto se podría resumir en que, si vas a jugar con dinero real, debes hacerlo con responsabilidad. Nadie te va a detener si quieres jugarte todo tu dinero; tú eres el responsable del mismo.

· Distracciones

Las distracciones constituyen la perdición del jugador de póker *online*. Si te encuentras en un casino, lo único que puedes hacer es estudiar tus cartas y a tus oponentes. Juega en un salón y las distracciones serán casi infinitas; quizás acabes jugando mientras ves la televisión, navegas por

CONSEJO

Internet está repleto de páginas de póker y foros que ofrecen ayuda y consejo para cualquier problema que tengas. El mejor sitio para empezar es rec.gambling.poker, un grupo de noticias que te permite escribir mensajes y compartir información con jugadores de todo el mundo. Puedes acceder a él mediante tu aplicación de grupos de noticias o navegar con el lector de noticias web en www.recpoker.com.

Internet, haces la cena o hablas con tu pareja. Y puede parecer obvio, pero todas estas actividades ejercerán un efecto nefasto en la calidad de tu póker.

Pero, aunque todo el mundo lo sabe, aun así casi todas las personas lo hacen. No caigas en la misma trampa. Si juegas al póker, concéntrate. Si quieres ver un gran partido por la televisión y comerte un bocadillo de jamón, apaga el ordenador.

· Varias mesas

A menos que tengas un clon, en el mundo real solo puedes jugar en una mesa a la vez. Pero en Internet es posible. De hecho, un gran número de jugadores profesionales juran que juegan en más de una mesa porque si ganan regularmente en una mesa, ganarán cuatro veces más si juegan en cuatro mesas. Puede que esto sea cierto para algunos, pero no para todos. Hay que gente a la que le resulta físicamente imposible lidiar con más de una mesa, mientras que otros afirman que no pueden jugar su mejor póker a menos que se centren en una partida. Nuestra opinión es que el póker *online* ya es lo bastante rápido sin tener que acelerar más las cosas, pero tú debes hacer lo que más te convenga. Si crees que tu cerebro puede enfrentarse a las numerosas decisiones y estás ganando en varias partidas, entonces ve a por todas. Si no te sientes cómodo y tener que tomar tantas decisiones rápidas te estresa, juega solo en una mesa. Al igual que tantas otras cosas, el póker se basa en lo que a ti te gusta. Pero, en cualquier caso, jamás deberías jugar en más de una mesa hasta que no seas un jugador con mucha experiencia.

· Señales *online*

Cada vez que te reparten una pareja alta empiezas a temblar y a sudar profusamente. En la vida real es una señal clara, ya que los jugadores pueden verte en la mesa. Pero *online* no es ningún problema, ya que tus oponentes no pueden verte, ni a ti ni tus manos y mucho menos tu sudor. Pero esto también significa que no puedes contar con conseguir información visual de tus oponentes, algo que es vital en las partidas en vivo.

Esto no quiere decir que no puedas ver señales *online*, solo tienes que fijarte en otras cosas. Como no hay nada físico, la mejor forma de saber qué clase de jugador es un oponente es fijarse en sus patrones de apuestas y saber si tiene una mano fuerte o está intentando jugártela.

¡Avanzado!

Puedes aprovecharte de la gente que juega en más de una mesa. Recorre las mesas y busca nombres que se repitan. Cuando encuentres a un jugador que juegue varias partidas a la vez, entra en una de ellas. Observa las otras partidas en las que está jugando y si le ves meterse en una gran confrontación, puedes apostar a que no te opondrá mucha resistencia.

Si tu cerebro lo soporta, en el póker *online* puedes jugar en varias mesas a la vez, pero tendrás que tomar decisiones a gran velocidad, ya que la acción no cesará nunca.

Fíjate en el tiempo que tarda en tomar una decisión y cuándo se desvía de lo normal. Y mira la clase de manos que está subiendo o viendo antes del *flop* e intenta adivinar qué cartas tendrá en su mano en el futuro. Te sorprenderá la cantidad de veces que acertarás. Mira si el jugador en el botón sigue atacando a tu ciega grande. Si te sube más de la mitad de las veces, puedes estar seguro de que no está esperando tener manos *premium*. Usa esta información y, a menos que tengas mala suerte, probablemente lo ahuyentes.

Intenta también identificar a los jugadores ajustados que siempre abandonan a menos que conecten en el *flop*, y a los jugadores agresivos que siempre apuestan en el *flop* sin importar sus cartas. Y mantén los ojos bien abiertos en busca de cualquiera de quien sospeches que está utilizando los botones de apuesta automática, pues no existe forma más fácil de seguir los patrones de apuestas de alguien. Y no emplees tú estos botones. Pueden ser tentadores, pero es como si mostraras tus cartas en la ventana del chat. Haz que tus oponentes trabajen por la información, nunca se la des gratis.

· **Toma notas**

¿Cómo vas a poder recordar toda esa información? Fácil: tomando notas. Si juegas *online* de manera regular en la misma página, te acabarás encontrando con los mismos nombres una y otra vez. Y si tomas notas de estos jugadores, la próxima vez que te halles con ellos tendrás gran ventaja. Muchas páginas *online* ya incorporan algo para tomar notas en su interfaz, así que solo tienes que hacer clic en el jugador y escribir algunas líneas. La

CONSEJO

La velocidad del póker por Internet hará que veas más manos y deberías ser capaz de ver los patrones de apuestas con más rapidez, siempre que estés atento. Si estás viendo la televisión o pagando las facturas mientras tus oponentes apuestan, vas a tener que jugar a ciegas. Procura evitar caer en patrones predecibles. Emplea el mismo tiempo para tomar cada decisión, ya sea sencilla o complicada. No te dejes llevar por la pareja de Ases que te acaban de repartir y no hagas una enorme subida instantáneamente.

Busca a los jugadores que utilicen los botones de apuesta automática y no caigas en la tentación de usarlos tú mismo.

próxima vez que juegues contra él, podrás acceder a lo que hayas escrito y jugar en consecuencia.

Digamos que estás jugando contra el Jugador X y te das cuenta de que solo sube antes del *flop* si tiene un As o una pareja alta. Si tiene un As y conecta en el *flop*, seguirá jugando de forma agresiva sin importarle su *kicker*. Si no lo hace y no tiene ninguna pareja alta, normalmente abandonará ante cualquier apuesta digna de mención. Está jugando un póker muy básico y, si puedes recordar esa información con un mero clic de tu ratón, serás capaz de sacarle mucho dinero y evitar perderlo cuando disponga de una mano de verdad. Cuando tengas una lista de malos jugadores, búscalos siempre que estés conectado. De lo contrario, desplázate por las mesas manualmente. Y mientras estás estudiando a la gente, mantén los ojos bien abiertos en busca de:

· Jugadores enfadados
Busca a la gente que pierda una mano muy mala y en la siguiente apueste mucho, así como a los jugadores que expresen su ira en la ventana del chat. Si están lo bastante molestos como para escribir cosas FURIOSAS, puedes apostar a que en realidad están RABIOSOS. Y si están ENFADADOS están listos para perderlo todo. No pierdas el tiempo contestando en el caso de que te insulten. Juega con cuidado y dales duro cuando tengas buenas cartas; ignorarlos y sacarles más fichas los enojará aún más.

· Gente a la que le encanta hablar
Hay gente que está más tiempo escribiendo en las ventanas del chat que jugando con sus cartas. Pruébalo tú mismo, si escribes continuamente comentarios inteligentes en la ventana perderás tiempo y antes de que te des cuenta te volverá a tocar actuar y te verás obligado a decidirte rápidamente. Vigila a los charlatanes y atácalos. E intenta no encontrarte inmerso en largas conversaciones. No has venido a hacer amigos.

· Maníacos
A los maníacos les encanta jugarse todas sus fichas por el simple placer de hacerlo y la gran mayoría juega por Internet. Únete a un *sit-and-go online* y casi siempre verás a alguien haciendo *all-in* antes del *flop*, con un bote que solo tiene las

Toma notas de los jugadores buenos y malos, y la próxima vez que os encontréis, tendrás ventaja contra ellos.

ciegas. Es una jugada terrible, si el maníaco tiene una mano fuerte no va a conseguir ninguna acción. Y si tiene una mano de media a débil, lo arriesga todo por unas pocas fichas. No entres en confrontaciones innecesarias, pero cuando tengas un monstruo, dale duro. Asegúrate de que te dé sus fichas.

¿Me van a estafar?

Ya hemos demostrado que el póker *online* es brillante. Puedes jugar cuando quieras y en cualquier nivel desde la comodidad de tu hogar. Puedes jugar incluso sin pantalones, y según una estadística oficial, el 10 % de la gente juega así. Pero aún queda una pregunta...

¿El póker *online* es seguro?

Es razonable pensar que si vas a dar información de tu tarjeta de crédito a alguien por Internet quieres saber qué van a hacer con ella. Y vamos a hacer todo lo posible para convencerte de que mientras no salgas de la lista de sitios de buena reputación que aparece al final de este capítulo, tu dinero está a salvo. A pesar de las numerosas afirmaciones en foros *online*, el póker *online* no está trucado. Juega bien al póker y ganarás dinero. Juega mal y perderás. Y son los malos jugadores de póker, por gracioso que parezca, los que más se quejan de las páginas *online*.

Los hechos

El póker es un negocio asentado. Todas las páginas fiables utilizan el software de encriptación más reciente para mantener a salvo los datos de tu tarjeta de crédito. Has de proporcionar el número, nombre en la tarjeta, tu dirección y el número de seguridad (los tres dígitos en la parte trasera de tu tarjeta) antes de poder ingresar dinero en tu cuenta. Y meter dinero en una cuenta de póker *online* es tan seguro como comprar en páginas de grandes tiendas como Amazon.

¿Por qué las páginas *online* no hacen trampas?

Las grandes páginas de póker *online* funcionan desde hace bastantes años y han ganado mucho dinero llevándose una parte de todas las partidas con dinero, así como cobrando por los torneos. Si ves un torneo *online* anunciado como una partida 10 $ + 1 $, el dólar es la cuota que cobra el operador *online*.

En el ejemplo siguiente se está jugando una partida con dinero en la famosa página *online* PokerRoom. El número de la mano, 199 345 758, aparece en la esquina superior izquierda. El bote es de 93 $ y el *rake*, la cantidad que se lleva PokerRoom de esta mano, se sitúa en 2 $. Multiplica el número de manos por el *rake* y verás cuánto dinero ganan legalmente los operadores *online*.

Party Gaming, la compañía propietaria de PartyPoker, una de las mayores páginas de póker *online* del mundo, ha aparecido recientemente en la bolsa de Londres y su valoración inicial *superó* a British Airways. Obtiene unos beneficios de casi un millón de dólares al día y lo logra conservando a sus jugadores y proporcionándoles un entorno seguro para jugar al póker. Si el software estuviera trucado o las páginas como PartyPoker o PokerRoom estafasen a la gente, esta no volvería. ¿Por qué las compañías querrían arriesgarse a perder estos enormes, y, según algunos, vulgares beneficios trucando partidas?

Los operadores *online* se llevan el rake de cada mano de dinero real que se juega.

¿Por qué los sitios *online* no pueden hacer trampas?

La base de cualquier página de póker es el software, que es proporcionado gracias a compañías como Boss, Excapsa y Cryptologic. Todas ellas utilizan GNA (generadores de números aleatorios) para asegurar que todas las cartas se reparten de forma aleatoria y que cada vez que se baraja al comienzo de cada mano es todo lo concienzudo que permite la ciencia. (Y un baraje perfecto no lo vas a ver ni tan siquiera en tu casino local; de hecho, solo existe una serie de personas en todo el mundo que afirma haberlo perfeccionado.) Auditorías independientes comprueban que esto haya sucedido en cada mano de póker que se haya jugado por Internet.

¿Qué ocurre si pierdo la conexión?

Es muy raro si estás con un proveedor de confianza, pero si tienes la mala suerte de quedarte sin conexión en mitad de una partida, la mayoría de páginas *online* te dejarán unos 30 segundos para volver a conectarte. De modo que si tu PC se bloquea sin motivo aparente o

tu conexión falla, vuelve a conectarte a Internet, carga tu software de póker y deberías volver automáticamente a la partida. Pero si estás desconectado demasiado tiempo y juegas en una partida con dinero, serás apartado temporalmente de la partida (y se considerará un *all-in* con las fichas que estabas apostando en la mano actual). Tu asiento permanecerá reservado unos minutos, pero si no te vuelves a conectar, serás expulsado de la mesa.

Si juegas en un torneo, te seguirán repartiendo cartas y tendrás que seguir poniendo las ciegas, pero si alguien apuesta, abandonarás tus cartas. Si las ciegas son altas no durarás mucho, pero si estabas en las primeras etapas de un torneo, necesitarás más tiempo para quedarte sin fichas por culpa de las ciegas. Lo más gracioso es que puedes llegar a los puestos con premio si te has quedado sin conexión y te quedan fichas suficientes como para superar la burbuja.

¿Qué ocurre con el resto de los jugadores?

No decimos que nadie haga trampas. Sucede, pero es extremadamente raro y las páginas hacen todo lo posible para impedirlo casi de inmediato. Informa de cualquier comportamiento sospechoso; solo tienes que hacer clic en el botón Ayuda o Contactar y podrás mandar un mensaje a un operador. Sobre todo ten cuidado con...

· **Confabulación**

Es una forma de hacer tramas, tan vieja como el juego, en la que dos o más jugadores cooperan para aprovecharse del resto de jugadores. En las partidas en vivo, los jugadores hablan entre ellos mediante señales y gestos. También puedes pasarle fichas a un colega para fortalecer su caja, y que tú tengas ventaja en un torneo en el que se juega mucho dinero. Es algo que es completamente imposible de erradicar del todo en el juego, pero la vigilancia hace que apenas suceda.

En una partida *online*, en la que nadie puede ver qué haces, esto es aún más fácil. Los jugadores sin escrúpulos pueden comentar sus cartas fácilmente con otros jugadores mediante el teléfono o una aplicación de chat como MSN. Puede que incluso estén sentados en la misma habitación y jugando en red. Pero aunque confabularse es más fácil *online*, la naturaleza del póker *online* hace que resulte también más fácil atrapar y castigar a los que la practican. Las páginas *online* tienen acceso a todas las manos que se han jugado y disponen de personal que utiliza el software más reciente para monitorizar y localizar los patrones sospechosos. Si se demuestra que se ha producido una confabulación, pueden llegar a suspenderse cuentas, congelar los fondos e incluso devolver el dinero a los jugadores que han sido objeto de un engaño. Una vez más, si en alguna ocasión observas algún comportamiento sospechoso, informa al operador.

· *Bots*

Lo bonito del póker es que se trata de una lucha de mentes, un juego de habilidad entre personas, no un juego como el Blackjack, que te enfrenta a la ventaja de la casa. ¿Pero puedes estar seguro de jugar contra gente real? Los *bots* de póker son programas informáticos que juegan por ti, utilizando una inteligencia artificial para tomar decisiones. En teoría, esto significa que pueden jugar bien y seguir siempre una estrategia sólida, 24 horas al día. Nunca se la jugarán si no tienen las probabilidades a su favor y jamás se cansarán o harán clic en el botón equivocado.

¿Aterrador? La verdad es que no. Los niveles actuales de inteligencia artificial no son lo bastante buenos como para lidiar con las complejidades del póker, en especial con los elementos más humanos como los faroles. Las páginas de póker *online* se oponen totalmente a estos *bots* y, si descubren a alguien que los usa, le congelarán la cuenta.

¿En qué página debería jugar?

Existen tantas páginas de póker *online* que quieren obtener ganancias contigo que la mayoría de ellas intentarán tentarte con una promoción única o la promesa de darte algo por nada. Antes de apuntarte a una, estudia bien todas y aprovéchate de las mejores ofertas.

Bonificaciones por registrarse

Las bonificaciones por registrarse son extremadamente comunes y normalmente ofrecen igualar tu primer depósito con dinero real hasta determinado límite. Así que si te registras y haces

---

¡ANÉCDOTA!

En las WSOP de 2005, el gran profesional Phil «The Unabomber» Laak desafió al vencedor del World Poker Robot Championship (PokerProBot) a una partida cara a cara de Texas Hold'em. Creía que era el favorito para ganar y que encontraría puntos débiles en la estrategia del robot. Y así fue. Ganó.

un depósito de 100 $, la página te promete una bonificación de 100 $. Pero esto tiene truco, ya que normalmente no podrás acceder a este dinero adicional hasta que hayas jugado un número determinado de torneos de pago o manos con *rake* en las mesas con dinero. Pero no hay que despreciar las bonificaciones. En el fondo es dinero gratis por jugar al póker, y puede que llegue a tu cuenta en el momento perfecto.

Puntos de fidelidad

De la misma forma que los supermercados intentan hacer que vuelvas entregándote una tarjeta de fidelidad, las páginas de póker *online* pretenderán hacer que juegues en sus mesas con planes de puntos. Y además de los típicos regalos como camisetas y gorras de béisbol, podrás encontrar gratificaciones que te ofrecerán entradas a *freerolls* «exclusivos» y satélites clasificatorios. Pero que no te deslumbren las ofertas demasiado buenas para ser ciertas, ¡normalmente no lo son!

Cuando estábamos recopilando datos para redactar este libro, nos encontramos algunos regalos realmente espectaculares, como el de la página que ofrecía un Mini-Cooper totalmente nuevo por 60 000 000 (sí, 60 millones) de puntos de jugador. Jugando al ritmo que jugamos (y jugamos mucho), calculamos que para conseguir los puntos deberíamos jugar durante 26 años. Para cuando consigas uno, los demás ya tendremos vehículos voladores.

Las mejores páginas de póker

Todas las páginas de póker *online* que aparecen a continuación son muy recomendables (por desgracia no nos pagan comisión) y ofrecen algo único, desde satélites exclusivos a jugadores de gran renombre. Juega en las páginas de esta lista y ten por seguro que estarás jugando en un entorno agradable y seguro.

PokerRoom
www.pokerroom.com
El póker puede ser algo solitario. Normalmente eres tú contra el mundo, en un juego en el que colaborar y el trabajo en equipo está mal visto... A menos que juegues en los exclusivos Torneos por Equipos de PokerRoom, en el que puedes unirte a tus compañeros para enfrentaros a los oponentes. Son muy divertidos.

Paradise Poker
www.paradisepoker.com
Hogar del Million Dollar Freeroll, que te permite jugar para obtener la posibilidad de ganar un millón de dólares gratis. El primer ganador del millón fue Lee Bidulph, un cocinero de 28 años de Blackpool, Inglaterra. Voló hasta un lugar soleado y ganó a los otros nueve jugadores de Internet que se habían clasificado para la mesa final en vivo. Juega tus cartas bien y tú podrías ser el siguiente, aunque para lograrlo deberás derrotar a varios miles de soñadores como tú.

PKR

www.pkr.com

Lanzado por un grupo de creadores de videojuegos con talento, PKR es una sofisticada página 3D cuyo objetivo es llevar alguna de las señales del póker real al póker *online*. Tiene un aspecto asombroso y no pierde nada respecto al póker en 2D. Es, sin duda, la página más divertida para jugar al póker *online*.

PartyPoker

www.partypoker.com

Es una de las páginas más grandes y más antiguas del juego de póker *online* del mundo, hogar del PartyPoker.com Million Cruise, un grandioso torneo de Hold'em con límite que se celebra en un crucero por el Caribe. Y mucha gente equivale a un gran número de peces a los que echar el anzuelo y, posiblemente, grandes ganancias.

Betfair Poker

www.betfairpoker.com

Betfair se hizo un nombre en el mundo de las apuestas deportivas cuando eliminó al corredor de apuestas y permitió apostar directamente contra otros usuarios. También es una página de póker muy popular que se ha labrado una gran reputación con sus usuarios regulares. Puedes encontrar una amplia variedad de juegos y un nivel de juego medio bastante bueno. Y si te clasificas para un gran torneo con Betfair, prepárate para ser tratado como un rey.

Poker Stars

www.pokerstars.com

Poker Stars, también conocida con el nombre de *hogar de los campeones del mundo*, es el lugar en el que hay que jugar si quieres clasificarte para las WSOP. Poker Stars es la que más jugadores lleva a las World Series y por unos pocos dólares puedes llegar a ganar una fortuna y además fama mundial. Chris Moneymaker, Greg Raymer y Joe Hachem, tres de los últimos grandes ganadores de las WSOP, juegan en Poker Stars.

Virgin Poker

www.virginpoker.com

Una de las últimas apariciones en el floreciente mundo del póker *online*, Virgin Poker, es el sitio en el que jugar si quieres cambiar tus puntos de fidelidad por algo más que gorras de béisbol. Gracias a las relaciones de Richard Branson, puedes cambiarlos por vuelos con Virgin Atlantic y otros objetos de Virgin. Y si te preocupa la reputación de las páginas *online*, está claro que sí te puedes fiar de las cartas repartidas por Richard Branson.

UB Poker

www.ultimatebet.com

Hogar de algunos de los mejores jugadores del mundo, UB Poker celebra el Aruba Classic, un torneo anual que un gran número de profesionales cita como su torneo favorito del año. Tiene lugar en el Caribe, lo que hace que si te clasificas puedas ganar muchísimo dinero o dar un paseo por la playa, una situación en la que pase lo que pase, ganas. Y si quieres clasificarte *online*, lo tienes que hacer aquí.

Full Tilt Poker

www.fulltilt poker.com

¿Quieres jugar con los profesionales? En Full Tilt puedes jugar con algunos de los mejores jugadores del mundo, que participan en la página. ¿Phil Ivey? ¿Chris Ferguson? ¿Mike Matusow? ¿La Hendon Mob? Pues… sí, y si tienes suerte, podrás verlos *online* y desafiarlos a una partida. Aprovecha tu oportunidad para aprender.

Ladbrokes

www.ladbrokespoker.com

El corredor de apuestas tradicional del Reino Unido es ahora una de las mayores potencias en el póker británico. Su torneo Poker Million es el más grande que se celebra fuera de EE.UU. En la final del Poker Million V de 2006, la suma de los premios en juego alcanzó los 4,2 millones de dólares. Y puedes llegar a clasificarte pagando tan solo 10 $ en los torneos satélite diarios.

888 Pacific Poker

www.888.com

Otra afamada página de apuestas por Internet que ahora dispone de salas de póker. Como detalle especial hay que destacar que, además de jugar de forma convencional, también disponen de un modo «recompensa» en el que obtendrás beneficios extras si eliminas a una persona determinada, casi siempre un jugador famoso. Por ejemplo, podrías participar en un torneo en el que, si lograses eliminar a Leo Margets (la autora del prólogo de este libro), podrías ganas 500 €.

Otras salas de póker *online* muy populares son Everest Poker, representada por Pablo Ubierna, Azartia Poker, Cara de Poker, Eurosuper Poker, Mansion Poker o Titan Poker, entre otras.

Leo Margets jugó en 2009 por primera vez las WSOP y finalizó en el puesto número 27 de 6 500 jugadores.

Escuelas de póker

Además de las páginas para jugar al póker, recientemente han aparecido academias de póker *online*. En ellas, jugadores profesionales y veteranos enseñan a jugar a los nuevos jugadores, mediante artículos, vídeos, entrenamientos *online* y foros. Además de mejorar tu juego, pertenecer a una de ellas te aportará grandes ventajas a todos los niveles, conocerás a más jugadores de póker, te relacionarás con ellos y te pondrás al día con los eventos. Pero no solo eso. Las academias de póker suelen tener acuerdos con las salas *online* para que si te registras en una sala a través de la academia, obtengas aún más ventajas, como participar en *freerolls* exclusivos, más puntos de fidelidad, recuperar parte del dinero que juegas... y todo ello sin tener que pagar más.

A continuación, se muestra una pequeña reseña de dos de las escuelas de póker más famosas en España. Aunque existen más, estas son dos de las más conocidas y tienen disponibles en castellano sus artículos y sus vídeos.

Educapoker

www.educapoker.com
Fundada por jugadores españoles, y con sus oficinas en Valencia, Educapoker es una academia de póker cien por cien española, con jugadores de la talla de Raúl Mestre entre sus profesores. Su plan de puntos te permite ir descubriendo más artículos a medida que ganas más puntos, a la par que puedes ganar regalos y detalles exclusivos con sus salas de póker afiliadas. En sus foros se organizan quedadas, se dan avisos de torneos y un largo etcétera.

PokerStrategy.com

http://es.pokerstrategy.com
PokerStrategy es la mayor academia de póker del mundo, con más de 2,8 millones de jugadores registrados y secciones en más de 10 idiomas (entre ellos, el español). Su principal reclamo es que, tras pasar un cuestionario al registrarte, te hacen entrega de 50 dólares, totalmente gratuitos, para que juegues en una de sus salas afiliadas. En sus foros podrás comentar manos y partidas de los principales estilos de póker y con su sección de noticias estarás al día de qué está ocurriendo en el póker mundial.

Asociaciones de póker

Uno de los problemas que tiene jugar en vivo es que puede resultar una experiencia intimidante y, además, puede que no conozcas los eventos que se celebran cerca de tu casa. Y no hay nada peor que enterarse una semana tarde de que ha tenido lugar un excelente torneo de póker en tu localidad. Una forma de resolver estos problemas son las asociaciones de póker. En ellas, los jugadores se reúnen, quedan, hablan, juegan y organizan eventos. Gracias a Internet puedes unirte a una asociación que esté cerca de tu casa y contactar con otros jugadores, que se mostrarán encantados de tener a alguien más con quien jugar, hablar y quejarse de la mala suerte que han tenido en las mesas.

Aquí tienes una lista con algunas de ellas:

- Euskadi Poker: http://www.euskadipoker.com/
- Bilbao Bizkaia Poker Club: http://www.bbpc.es/
- El garito de K.G.B.: http://pokerpamplona.com
- Poker Cantabria: http://pokercantabria.com
- AsturPoker: http://asturpoker.com
- Pokerciko, comunidad aragonesa de jugadores de póker: http://www.pokerciko.com
- Asociación riojApoKer: http://www.riojapoker.com
- Asociación Galega de Poker Amateur: http://www.pokergalicia.org
- Poker Canarias: http://www.pokercanarias.com
- Mitic Poker: http://www.miticpoker.com
- Córdoba Poker Club: http://www.cordobapokerclub.blogspot.com
- Club Poker Sevilla: http://www.clubpokersevilla.com

Legislación sobre póker en España

La legislación sobre el juego en España está transferida a las administraciones autonómicas. Cada una de las comunidades autónomas regula y dispone sobre los juegos de azar, tanto los generales como los vinculados a acontecimientos deportivos, a excepción de algunos de larga tradición como la Lotería nacional y las quinielas, que son patrimonio del gobierno central.

Según la ley, dos conceptos deben quedar claros. Primero: las apuestas con dinero en juegos como el póker son legales únicamente en establecimientos privados y establecidos como empresas destinadas a tal fin: casinos y salas de juego. El juego con apuestas pecuniarias está totalmente prohibido en domicilios particulares, clubs, asociaciones culturales o deportivas, locales sin licencia, establecimientos de restauración, etc. Segundo: sobre el creciente número de sitios web en los que se realizan apuestas *online*, la legislación es confusa, está en trámite (la Comunidad de Madrid, País Vasco, Cataluña y Aragón han intentado poner algo de orden en el asunto, aunque sin lograr resultados definitivos ni tramitación de licencias) o sus sedes físicas se localizan en países en los cuales está permitida su existencia (Austria, Reino Unido, Malta, Gibraltar) y desde donde ofrecen sus servicios al resto de Europa. De todos modos y hasta el momento, las empresas de apuestas *online* funcionan en todo el territorio nacional sin restricción alguna, a la espera de una regulación concreta y con la declaración crítica por parte de las empresas con establecimientos de localización física de competencia desleal, ya que las *online* tributan impuestos en los países en los que están implantadas, pero no en España.

Resumen

- **Al póker *online* puedes jugar 24 horas los 365 días del año.**

- **El juego *online* más popular es el Texas Hold'em.**

- **Pero también puedes encontrar Omaha, Stud y Draw.**

- **Normalmente es rápido y suelto.**

- **Y puedes jugar gratis y ganar premios de dinero real.**

- **Los satélites *online* te permiten clasificarte para grandes torneos por solo unos dólares.**

- **Las páginas *online* no utilizan software trucado.**

- **A pesar de que hacer trampas es posible.**

- **Es extremadamente raro y fácil de rastrear.**

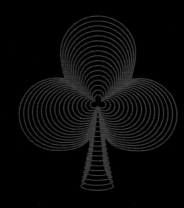

El póker no es el único juego al que puedes jugar *online*; el Blackjack también se está haciendo muy popular.

Partidas caseras

«Los matrimonios van y vienen,
pero la partida debe continuar.»
FELIX UNGER (*La extraña pareja*)

Jack Lemmon
(en primer
plano) sabía
que perdería
los nervios en la
caótica partida
de póker con
Walter Matthau
y sus amigos en
la divertidísima
comedia de 1968
La extraña pareja.

En este capítulo aprenderás a...

Ser el anfitrión de la perfecta partida casera. Te mostraremos
cómo evitar los errores más comunes y te daremos las
reglas que necesitas para una noche perfecta. Solo deberás
centrarte en sacarles el dinero y recoger.

Partidas caseras

Jugar torneos multimillonarios está muy bien, pero nada puede superar a una buena partida casera con tus amigos, siempre y cuando se haga bien. Nosotros vamos a asegurarnos de que tu partida sea la mejor partida casera del mundo.

Aunque el póker se ha hecho famoso y la gente se lo toma más en serio, conviene recordar que este juego tiene que ser divertido. Y aquí es donde entran las partidas caseras. Sigue siendo importante que existan reglas, pero aquí encontrarás todo lo que necesitas saber. Pero, antes de que empieces a preocuparte por los detalles, tienes que decidir si quieres que tu partida casera siga una estructura de torneo o de partida con dinero.

Partida con dinero

En una partida con dinero, cada jugador compra fichas por su valor monetario actual. De manera que si cambias 20 €, te darán 20 fichas de 1 € (o la denominación correspondiente con la que juguéis). Cada mano se jugará, por tanto, por dinero. Una vez la partida haya terminado o los jugadores decidan marcharse, pueden cambiar sus fichas por dinero, según su valor.

Torneo

Jugar una estructura de torneo tiene muchas ventajas. Hay un comienzo y un final fijos que impedirán que la partida dure indefinidamente, limita la cantidad de dinero que puedes perder en una noche y, lo que es más importante, hay un ganador final que tendrá todo el derecho de presumir y convertirse en el enemigo que se

Puedes comprar mesas de póker sencillas en la mayoría de las cadenas de tiendas.

debe batir en la próxima partida. En una estructura de torneo, cada jugador paga la entrada y recibe la misma cantidad de fichas. Existen dos tipos principales...

· Eliminatorios

El eliminatorio (llamado *freezeout*) es el más sencillo de jugar y el más común. Todos reciben la misma cantidad de fichas al empezar y, cuando se acaban, se quedan fuera. Como no hay segundas oportunidades se tiende a jugar de una forma más ajustada, protegiendo tus fichas mucho más que en un...

· Recompra

Los torneos con recompra te permiten volver al juego cuando lo pierdes todo. Para evitar que la partida dure indefinidamente, las recompras se limitan a un período de tiempo (por ejemplo, puedes hacer todas las recompras que quieras en los primeros 60 o 90 minutos) o a una cantidad de veces. Cuando haces la recompra, normalmente recibes la misma cantidad de fichas con la que empezaron todos, pero suelen darte fichas con un valor más alto (los otros jugadores las pueden cambiar por fichas de valor más bajo). Esto evita que la mesa quede abarrotada con cambio. Después de que se acaben las recompras, todo el mundo suele tener la posibilidad de hacer un añadido (o *add-on*). Esto significa que, sin importar las fichas que te queden, puedes pagar la cantidad de la recompra y obtener las fichas correspondientes. Debido a la existencia de estas «vidas» extra, los torneos de recompra son mucho más agresivos que los eliminatorios. Tienden a durar más (debido a la cantidad extra de fichas en la mesa) y los premios son mucho más elevados.

El equipo

Para ser el anfitrión de la partida casera perfecta no necesitas mucho: una baraja de cartas, algunas fichas y un botón de repartidor (o si estás desesperado, un salero). Pero si tienes planeado que tu partida se convierta en algo regular, deberías plantearte muy

¡Avanzado!

Otra clase de torneo es el Double Chance o doble oportunidad. Además de recibir tus fichas iniciales, puedes comprar la misma cantidad una segunda vez dentro de un límite de tiempo. Puedes adquirirlas al principio para tener una ventaja de fichas desde el principio o cogerlas si pierdes. Los jugadores agresivos tienden a obtenerlas desde el comienzo para poder intimidar. En cambio, los jugadores más cautos prefieren utilizarlas como si fueran una vida extra, para poder hacer *all-in* en dos ocasiones.

Asegúrate de comprar un juego de fichas adecuado.

seriamente conseguir un equipo aceptable. Comprar material de calidad no es demasiado caro, pero la diferencia es enorme.

Cartas

Deberán soportar muchas manipulaciones y las barajarás constantemente, de modo que las cartas económicas de papel no durarán mucho. Se doblan fácilmente, y las cartas dobladas hacen que repartir sea más difícil, y cuesta más ocultárselas a tus adversarios. Busca una baraja de cartas de plástico, ya que son mucho más resistentes y no quedarán marcas. Estas cartas pueden constituir una importante inversión inicial (aunque en estos tiempos puedes conseguir una baraja medio aceptable por poco dinero), pero durarán mucho más y a la larga salen mucho más baratas; además, jugar con ellas es muy agradable.

Fichas

Sin fichas no se puede jugar. Jugar con dinero no es adecuado, no tendrás las denominaciones correctas y las cerillas son demasiado quebradizas. Ya se comercializan fichas que están bien y son económicas. Hace un par de años solo podías encontrarlas en establecimientos especializados o en Internet. Ahora casi todas las grandes tiendas las tienen. No caigas en la tentación de ahorrarte unos euros y comprar las más baratas, ya que son un insulto a los dioses del póker. Intenta encontrar unas fichas que sean de arcilla o un compuesto de arcilla. Pesan más (normalmente unos 11,5 gramos) y moverlas y jugar con ellas resulta mucho más satisfactorio. La mayoría de los juegos de fichas tienen un botón de repartidor de plástico; si no es así, compra uno. Es mejor que usar un plato de café.

Compra fichas suficientes para todos los jugadores con los que esperas jugar.

CONSEJO

Si juegas con fichas que no tienen la denominación marcada sobre ellas, intenta utilizar un único sistema. Esto evita los errores, las apuestas incorrectas y tener que recordar a todo el mundo cuánto valen sus fichas cada cinco minutos. Puedes intentar hacer que las fichas valgan más cuanto más oscuras sean. Por ejemplo, amarillas = 25 €, rojas = 100 €, azules = 500 € y negras = 1 000 €. Esto también te facilitará mucho saber cuántas fichas tienen los demás.

¿Cuántas?

La cantidad de fichas que necesites para tu partida dependerá de lo popular que seas. Si tienes una mesa con 10 personas, vas a necesitar un juego completo de 500 fichas. Si decides jugar un torneo, es muy importante que todos empiecen con la misma cantidad de fichas. Si hay muy pocas, el primer nivel será una lotería, pero da demasiadas y al día siguiente seguiréis jugando. Aunque puedes comprar fichas con su valor escrito, la mayoría de los juegos las tienen en blanco, lo que te permite usarlas como quieras.

Ciegas

Lo más importante de una partida casera son las ciegas. Dictan el ritmo del juego, lo agresivos que deberán ser los jugadores para sobrevivir y cuánto durará la partida (dependiendo de tu caja inicial). Esto se logra aumentando los niveles de las ciegas a intervalos regulares a lo largo de la partida.

Además de controlar la progresión de los niveles (por ejemplo, doblando cada nivel o siguiendo otro patrón fijo), también puedes decidir cuándo sucede. Si aumentas las ciegas cada 10 minutos, tendrás una partida rápida, sin el lujo de poder esperar a las manos *premium*. Usa los niveles más tradicionales de 30 minutos y jugarás mucho más. Esto puede venirle bien a los principiantes, que necesitan más tiempo para acostumbrarse al juego, pero cuidado, ya que si alguien es eliminado al principio va a tener que esperar mucho para poder volver a jugar.

La única forma de encontrar la estructura perfecta es probar. Si ves que algo no funciona, cámbialo en la siguiente partida. Aquí tienes varias sugerencias de torneos para que vayas empezando:

Caja inicial: 2 000 €

Ciega pequeña	Ciega grande	Duración del nivel
25	50	20 min.
50	100	20 min.
100	200	20 min.
200	400	20 min.
400	800	20 min.
500	1 000	20 min.
800	1 600	20 min.
1 000	2 000	20 min.

Al utilizar niveles de 20 minutos podrás jugar bastante antes de que las ciegas suban demasiado y te presionen.

Caja inicial: 2 000 €

Ciega pequeña	Ciega grande	Duración del nivel
25	50	15 min.
50	100	15 min.
100	200	15 min.
150	300	15 min.
250	500	15 min.
350	700	15 min.
500	1 000	15 min.
1 000	2 000	15 min.

Este es un estilo de juego completamente distinto, con ciegas más rápidas y una estructura de ciegas ligeramente distinta. En lugar de seguir un orden lógico, estas ciegas están diseñadas para reforzar la acción y, tras la primera hora, los incrementos son aún más altos.

Premios

Puedes repartir los premios como lo desees, pero es importante decidirlo antes de que empiece la partida. Si solo sois cuatro y la entrada son 5 €, lo mejor es que solo cobren el primero y el segundo, o quizás el ganador se lo deba llevar todo. Si sois siete, un primer y segundo premio tienen sentido, y puede que incluso un tercero. Si quieres que el tercero también cobre, esta estructura es la mejor: el primero se lleva el 50 % de la cantidad destinada a premios, el segundo el 30 % y el tercero el 20 %. Pero puedes cambiar estas cantidades según tu voluntad, para que el primero se lleve el 60 % y el tercero el 10 %. Tú decides.

Mesas

Cuando hayas jugado varias veces al póker inclinado sobre una mesa de café te darás cuenta de lo importante que es jugar sobre una superficie adecuada y con buenos asientos. Puedes comprar una mesa especializada o una más barata, pero recuerda que lo más fácil es aprovechar lo que ya tienes. Ten en cuenta:

No

· Juegues en una mesa de cristal. Las cartas se irán por todas partes.
· Juegues en una mesa sucia. Las cartas se ensuciarán y deteriorarán.
· Juegues sobre una superficie brillante, ya que puede que la gente vea las cartas cuando las repartes.

Sí

· Haz que todos los jugadores se sienten a la misma altura, para que nadie pueda ver accidentalmente (o deliberadamente) las cartas que se reparten o tienen los demás.
· Invierte en unos metros de fieltro o algo similar para cubrir la mesa y notarás la diferencia.
· Pon descansos en las partidas largas para que los jugadores puedan estirar las piernas.
· Pon ceniceros y mesitas para bebidas para preservar la zona de juego.

Las reglas claras

Evita cualquier posible discusión (lo más probable es que aparezcan cuando haya dinero en juego); para ello, deja bien claras las reglas antes de empezar. ¿Cuán estricto vas a ser? ¿Ignorarás las apuestas encadenadas? ¿Te pondrás pesado con tu gente si hablan sobre sus manos? ¿Castigarás a la gente que apuesta fuera del turno?

Estas preguntas pueden parecer triviales, pero una vez comience la partida será muy difícil, e impopular, introducir cambios sobre la marcha, en especial si habéis estado bebiendo alcohol. Más de una partida casera ha acabado en una pelea de borrachos porque las reglas no estaban claras desde el principio.

La entrada

Antes de decidir la entrada, piensa en la gente que va a jugar. Si tu objetivo principal es ganar dinero, entonces te conviene que haya mucho dinero destinado a premios. Pero si la partida es principalmente un acontecimiento social, entonces la entrada tiene que ser una cantidad que no le importe perder a nadie. Si alguien pierde más dinero del que cree que puede permitirse, no volverá. Y una partida casera de éxito es aquella en la que todos vuelven con una sonrisa. Tener un buen premio es una excelente forma de hacer que todos se tomen la partida en serio, pero si la partida acaba con las amistades y gente que se siente enfadada, es que la cantidad era la equivocada.

El grupo

Si es una partida social, no invites a gente que no encaje y no permitas que entren jugadores que vayan a ser blandos con otros! ¡Es un desastre!

Errores

Existen dos errores o temas problemáticos que a menudo hay que resolver en el póker casero.

· **Actuar fuera del turno** Esto es más algo típico de los jugadores de Internet, que nunca han tenido la opción de actuar fuera de su turno antes y acaban tirando sus cartas a la basura cuando todavía quedan por actuar tres jugadores o suben cuando no les toca, lo que arruina la partida. Debe ser responsabilidad del repartidor aclarar quién tiene que actuar y recordar a los jugadores sus opciones. Si un jugador sigue saltándose su turno, puedes imponerle un castigo ligero, como una suspensión corta. Pero si impones reglas así, haz que todos las entiendan desde el principio.

· **Estrellar el bote** (o lanzar tus fichas al bote principal). Cuando cada jugador apuesta, debe mantener sus fichas fuera del bote para que se pueda comprobar su valor rápida y fácilmente. Si hay poco sitio, permite que el repartidor tenga la responsabilidad de aconsejar a los jugadores las mejores formas de mantener alejadas sus apuestas de la pila principal y que recojan el bote.

Ciegas en sillas vacías

Cuando un jugador es eliminado, puede que las ciegas se vean afectadas. Si un jugador que estaba a punto de ser la ciega pequeña se va, las ciegas no pueden seguir avanzando ya que el jugador siguiente se habrá perdido la ciega grande. La forma más sencilla de solucionar este problema es colocar el botón del repartidor como si el jugador todavía estuviera ahí. De manera que si el jugador que se va tenía que ser la ciega pequeña, en esa ronda no habrá ciega pequeña, solo la grande. Si el jugador que se ha ido tenía que ser el repartidor, deberías colocar el botón en su lugar (a esto se le llama usar un *repartidor muerto*), para que los siguientes jugadores no se pierdan una ronda de ciegas completas.

Si el jugador que se ha ido tenía que ser la ciega grande, entonces la secuencia continúa y el jugador sentado a la izquierda del que se ha ido pasa a ser la ciega grande una mano antes de lo que le tocaba. Resumiendo, nadie debería tener ninguna ventaja o desventaja porque un jugador abandone la mesa.

Errores al repartir

Al repartir pueden aparecer varios problemas.

· Si cualquier carta es expuesta accidentalmente durante el reparto inicial, se deben recuperar todas las cartas y la mano se declara nula. Baraja y reparte de nuevo.

· En los juegos con *flop*, como el Texas Hold'em, si este se reparte antes de que haya terminado la ronda de apuestas, el *flop* expuesto se retira y descarta. Una vez haya terminado la ronda inicial de apuestas, se deberá repartir otro *flop*.

· Si una carta quemada es expuesta accidentalmente, todos los jugadores deben poder verla antes de colocarla boca abajo y proseguir con la mano.

· Si un jugador muestra alguna de sus cartas cuando las lanza a la basura, todos los jugadores deben poder verla y seguir jugando. Si un jugador actúa así siempre, avísale.

CONSEJO

Es muy raro que alguien intente hacer trampas en un ambiente amigable, pero una regla que hay que dejar clara siempre es que las cartas y las fichas se deben quedar en la mesa en todo momento. También puedes querer comprobar que nadie traiga fichas iguales que las tuyas, ¡por si aparece con un par de fichas de 1 000 € extras!

Resumen

• **Adquiere un juego de póker decente; las cartas y las fichas son obligatorias.**

• **Y lo mismo se puede decir de la mesa y las sillas.**

• **Decide el formato: dinero o torneo.**

• **Fija la estructura de ciegas para que se ajuste a la duración de la partida.**

• **No hagas que la entrada sea tan cara que tus amigos te odien cuando pierdan.**

• **Antes de empezar, deja bien claras las reglas.**

• **Bebe, pero no en exceso.**

• **Asegúrate de que todos a los que hayas invitado se lleven bien.**

• **Pero no tanto como para ser blandos unos con otros.**

Partidas en vivo

«Tanto si le gusta como si no, el carácter de un hombre queda al descubierto en una mesa de póker; si los otros jugadores de póker le leen mejor de lo que él lo hace, solo podrá culparse a sí mismo. A menos que sea capaz y esté preparado para verse como lo ven los demás, con todos sus defectos, será un perdedor en el póker y en la vida.»

ANTHONY HOLDEN, autor de *The Big Deal*

En este capítulo aprenderás que...

Trasladar tus habilidades con el póker por Internet a un casino o a una sala de cartas es algo más que un mero cambio de lugar. Etiqueta, presentación, conducta y tener una cara de póker aceptable son cosas que ahora hay que tener en cuenta. Mucha gente tiene miedo porque cree que les señalarán como novatos y se burlarán de ellos. Nosotros vamos a asegurarnos de que eso no te ocurra a ti.

Robert De Niro en el clásico de Scorsese, Casino.

Partidas en vivo

Perfecciona tu cara de póker, coge tus gafas de sol y asegúrate de tener la canción *The Gambler*, de Kenny Rogers, en tu iPod. Es hora de que el mundo real descubra tus nuevas habilidades.

Un gran número de jugadores veteranos actuales (a diferencia de los del pasado) nunca han puesto un pie en una sala de póker. La accesibilidad del póker por Internet y la comodidad de poder jugar en tu propia casa ha permitido que muchísimos jugadores nunca hayan tocado una ficha, a pesar de haber jugado miles de manos. Ellos se lo pierden. El póker en vivo es una experiencia muy diferente y enormemente gratificante. Es un juego social fantástico y también te ofrece la oportunidad de descubrir lo buena que es tu cara de

No hay nada como jugar al póker en vivo, y si sabes lo que haces, no tiene por qué resultar una experiencia intimidatoria.

póker o si realmente tienes la habilidad para leer las señales en las caras de los demás.

Entrar en un casino o en una sala de cartas

Para poder entrar en un casino solo necesitas tu carnet de identidad, el pasaporte o el carnet de conducir, nada más. Tras presentarlos, podrás entrar y empezar a jugar en solo unos minutos.

Muchos casinos y salas de cartas tienen páginas web con una lista de sus torneos y los detalles de las partidas con dinero. Aunque puede que te encuentres con una regla algo anticuada: la forma de vestir. Si eres un turista y estás en Las Vegas, solo las salas de cartas más elitistas pueden ponerle reparos a tu ropa, pero muchos de los casinos de las capitales europeas todavía insisten en vestir de manera formal, lo que obliga a los caballeros a llevar chaqueta.

En la sala de cartas

Una vez estés en una sala de cartas, lo primero es descubrir a qué se está jugando. Como el póker cada vez es más popular, la calidad de estas salas mejora continuamente, pero debes esperar cualquier cosa, desde las pantallas de plasma de alta definición de Las Vegas a las salas de póker con un suelo de fieltro y garabatos en una pizarra blanca del este de Londres. Pero el jefe de sala siempre es la clave. Además de ser capaz de decirte los juegos a los que se está jugando, también puede explicarte cuántos jugadores están esperando o apuntarte a algún futuro torneo.

Debido a su popularidad *online*, más y más salas en vivo celebran lo que se llama torneos *sit-and-go*, una especie de minitorneo que empieza en cuanto hay jugadores suficientes disponibles. Si eres un jugador de torneos pero no sabes cuándo se va a celebrar alguno, mantén los ojos abiertos en busca de estas oportunidades.

Partidas en vivo

Si hay un juego que casi con seguridad encontrarás en una sala en vivo es el Texas Hold'em, pero en una sala grande también podrás encontrar Stud de siete cartas y Omaha. Ciertas salas también tienen disponible una mesa llamada *a elección del repartidor*, donde se juega a una amplia variedad de juegos de póker. Pero ten cuidado y no te sientes en una de estas mesas a menos que conozcas muy bien el juego. Lo más habitual es que haya partidas con límite, sin límite y con límite de bote, pero si quieres probar algo nuevo, procura que sea con límite o una estructura que te resulte familiar.

Todos reparten

A menos que te encuentres en un gran torneo, quizás tengas que barajar las cartas y repartirlas hasta la mesa final. Si estás más cómodo en tu casa haciendo clic con el ratón que asombrando a tus oponentes con tus habilidades para barajar, esto puede resultar un problema e incluso llegar a acabar con la diversión. Existen diversas formas muy vistosas de barajar, pero si observas a los repartidores profesionales, verás que la mejor manera es esparcir las cartas por la mesa y moverlas aleatoriamente. Practica un poco antes de actuar en público.

En la mayoría de las partidas en vivo se sigue una secuencia sencilla para asegurar que se baraja de forma segura y aleatoria. El jugador situado a la izquierda del repartidor baraja el mazo, el de su derecha corta y entonces él empieza a repartir. También es tu responsabilidad asegurarte de que la base del mazo quede oculta, y no repartir de forma apresurada, ya que puedes mostrar cartas por accidente.

La zona cómoda

Además de saber repartir, hay varios elementos únicos de las partidas en vivo que te pueden coger desprevenido. En una partida en vivo tienes que estar relajado para poder concentrarte en tus cartas. Una de las formas más fáciles de lograrlo es concederte un poco de tiempo la primera vez, para ver cómo funciona todo. Observa a los jugadores manejando las fichas, la secuencia de juego, cómo dan propinas a las camareras, apilan las fichas, ponen las ciegas... en definitiva, todo. Como no quieres sentarte a una mesa y parecer tonto, lo mejor es que te asegures de saber cómo funciona todo antes de entrar en una partida.

Fichas

Las fichas son tus nuevas mejores amigas, así que sé amable con ellas. Si no las tratas bien, te abandonarán. Cuando estés en una mesa, apila tus fichas con cuidado. Las torres aleatorias que se alzan hacia el cielo se acaban cayendo y no te ayudarán nada cuando necesites una cantidad determinada. Es aconsejable apilar las fichas de una forma que tenga sentido y siempre deberías poder ver las que te quedan con solo echar un vistazo.

Y cuando hagas una apuesta, no lances las fichas a la mesa de una manera teatral. Puede que lo hayas visto en las películas, pero es esta forma de estrellar el bote lo que hace que entres en la lista negra del resto de jugadores. Mueve tus fichas como un profesional y asegúrate de anunciar qué estás haciendo. Si apuestas y actúas de un modo controlado, la gente te respetará.

El campeón de las World Series of Poker de 2004, Greg «Fossilman» Raymer, con uno de sus ya famosos protectores de cartas.

La entrada

En la mayoría de las grandes salas de póker tendrás la opción de comprar las fichas en la oficina central o simplemente sentándote a una mesa y pidiendo fichas in situ. Pon tu dinero encima de la mesa y el repartidor pedirá tus fichas. Además, si te quedas corto de fichas, de esta forma siempre puedes pedir más. Cuando sea la hora de llevarse el dinero, lleva tus fichas a la oficina principal y ellos te las cambiarán (es lo que esperamos) por una gran cantidad de dinero.

Cambiar de color

Si juegas en un gran torneo que tiene descansos, no te preocupes si cuando regresas de uno de ellos parece que te faltan algunas fichas. Para facilitar la gestión de fichas durante las últimas etapas de un torneo, las fichas se «cambian de color». Esto significa que las de menor valor eran útiles en las primeras fases pero ahora ya no sirven de nada (¿de qué te sirven fichas de 25 € cuando las ciegas están en 2 000 € y 4 000 €?). Se cambian por otras de mayor valor. Y la buena noticia es que las cantidades se suelen redondear al alza, así que si tenías 150 € en fichas de 25 €, recibirás a cambio dos de 100 €.

Cartas

Tanto si eres el repartidor como si solo eres uno de los jugadores de la mesa, cuidar de tus cartas es tu responsabilidad. Cuando repartas, procura barajarlas bien, evita dañarlas y reparte de una forma limpia. Saltarte a jugadores en una mesa llena o repartir de tal modo que todos se pregunten de quién son las cartas no es la mejor manera de hacer amigos. Además...

- Cuando los jugadores abandonen sus cartas, debes recuperarlas y mantener la mesa tan despejada como te sea posible.
- Cuando estés jugando, asegúrate de proteger tus cartas cuando las mires y después ponlas delante de ti.

CONSEJO

A muchos jugadores les gusta poner una ficha de su pila sobre sus cartas para indicar que todavía están «vivos». Otros jugadores también tienen amuletos de la suerte o protectores de cartas personalizados.

- Si piensas abandonar, procura no manipular tus cartas de una manera que lo haga obvio (por ejemplo, agarrándolas como si fueran un plato, listas para volar por la mesa cuando llegue tu turno).
- Si planeas seguir jugando, protege tus cartas de modo que el repartidor no las confunda con cartas muertas y las lleve a la basura.

Charlar en la mesa

Dependiendo de dónde juegues, la charla que encontrarás en la mesa variará bastante. Algunas mesas fomentan la conversación amigable, mientras que otras están llenas de individuos silenciosos y extraños que llevan gafas de sol y escuchan sus iPods. Estés donde estés, siempre hay unas reglas que deberías seguir…

- Nunca discutas tu mano, con independencia de si todavía está en juego o la has abandonado, hasta que la mano haya terminado por completo.
- Nunca reacciones de una forma que a los jugadores en vivo les proporcione información sobre la mano que acabas de tirar. Así, si acabas de abandonar un 2-6 en una partida de Hold'Em y el *flop* es 2-2-2, no empieces a darte cabezazos y a decir tacos.
- De hecho, nunca digas tacos.
- Nunca insultes a otro jugador o al repartidor.

Camareras

Si tienes la suerte de jugar en una sala de póker con servicio de camareras, podrás pedir bebidas y comida sin tener que ausentarte de la mesa. Dependiendo de dónde estés, puede que incluso descubras que las bebidas son gratis. Pero también es tradicional darle una propina a la camarera. Si estás en una mesa de dinero, puedes escoger dar la propina en dinero o en fichas con un valor monetario. Obviamente, no puedes dar una propina con fichas de torneo, que carecen de valor monetario directo.

Repartidores

A muchos jugadores les gusta dar una propina al repartidor después de ganar un bote en una partida con dinero, en especial en Estados Unidos, donde los repartidores cobran realmente poco y las propinas forman una parte importante de su sueldo. La cantidad de la propina queda enteramente a tu discreción, pero normalmente la dicta el volumen del bote. En una partida con dinero y límites bajos, una ficha de un dólar suele bastar. Si el bote vale mucho más, la propina también debería aumentar.

Abandonar la mesa

En una partida con dinero estás totalmente en tu derecho de levantarte de la mesa durante largos períodos de tiempo. Si necesitas estirar las piernas, coger algo de comer o ir al baño, solo tienes que decírselo al repartidor y él cuidará de tus fichas. Nunca pondrá tus ciegas y abandonará tus manos cuando te llegue el turno. Pero no es de buena educación marcharse unas horas, ya que puede haber otras personas que esperen para sentarse y el resto de jugadores quieren jugar en una mesa completa. No obstante, tampoco estás obligado a quedarte sentado hasta que te vayas.

CONSEJO

Si no sabes exactamente cuánto dar de propina, observa una partida antes de entrar y fíjate en las propinas que da el resto de jugadores según el bote. ¡Y a partir de entonces solo tendrás que preocuparte de ganar un bote para dar una propina!

¡Avanzado!

Solo porque lleves auriculares no significa que estés escuchando música, ¿verdad? Los jugadores que creen que no les escuchas a menudo cometen errores y muestran ligeras señales. Pruébalo.

Juguetes de mesa

Además de los protectores de cartas personalizados, los jugadores llevan a las mesas toda clase de objetos. Verás toda clase de amuletos de la suerte y juguetes junto a los jugadores, así como una amplia variedad de sombreros, gafas de sol y sistemas de música. Llevar gafas de sol para camuflar las señales visibles es perfectamente aceptable, como lo es escuchar música. Por lo general, se te pedirá que mantengas la música a un volumen que los otros jugadores no puedan escuchar. También te pueden llamar la atención si, de forma repetida, tardas en reaccionar o no entiendes las jugadas porque no escuchas bien. La mayoría de las mesas toleran bastante cualquier comportamiento extraño siempre y cuando no interrumpa el juego o moleste a otros jugadores.

Espera tu turno

Este es el error más común de las partidas en vivo. La forma más sencilla de evitarlo es no mirar hacia tus cartas hasta que llegue tu turno de actuar. De esta manera, además de estar totalmente seguro de que te toca, evitarás hacer cualquier señal hasta que tengas que hacerlo. Si te han repartido una pareja de Ases y tienes que esperar 30 segundos antes de coger tus fichas, probablemente estarás temblando como un flan cuando te llegue la acción.

CONSEJO

Cuando estés contra un jugador en un cara a cara por un gran bote, una vez haya terminado, saca tu cuaderno y haz como que tomas muchas notas. A ningún jugador de póker le gusta pensar que emite señales, así que tomar notas durante un rato puede hacer que se ponga nervioso.

Toma notas

Los jugadores *online* no dudan al tomar notas de sus oponentes, así que ¿por qué iba a tener que ser distinto en una partida en vivo? No temas llevar un cuaderno en el que tomes notas sobre las jugadas (tanto las tuyas como las de los oponentes).

Señales

Ser invencible en las mesas mientras te sientas detrás de un monitor de PC es una cosa. Pero reproducir una interpretación ganadora frente a una sala llena de oponentes, todos ansiosos de quitarte tu dinero es muy diferente. Tendrás que pensar en más cosas, y el hecho de que tus oponentes puedan verte hace que sea importante no facilitarles ninguna información sobre la fuerza de tu mano. Esto no es tan fácil como parece. La mayoría de las veces no te vas a dar ni cuenta de que estás haciendo algo hasta que alguien te lo diga, y puede ser tan inofensivo como rascarte la nariz cuando faroleas.

Pero una cosa es segura: emites señales.

Así que antes de empezar a buscar señales en los demás, estudia tu comportamiento en ciertas situaciones. Probablemente la señal más básica es mostrar fuerza cuando eres débil y viceversa. Intenta controlarte y asegúrate de que tus acciones no cambian, con independencia de la situación. Si cuando eres fuerte colocas las fichas para apostar y cuando eres débil las tiras a la mesa, alguien se dará cuenta.

También intenta moderar el tiempo que tardas en decidirte. Aunque solo tengas chatarra, cuenta hasta cinco antes de abandonar la mano. Si también cuentas hasta cinco cuando ves o subes, nadie podrá asociar el tiempo que tardas a la fuerza de tu mano. Y si hablas en la mesa, procura no dar información con tu cháchara. Puede que llegues a decidir no hablar cuando participas en una mano. Si alguien te hace una pregunta y lo ignoras, limítate a esperar hasta que la mano termine y entonces dile que nunca hablas durante una mano activa.

Si observas a los grandes profesionales por televisión, verás que normalmente se dividen en charlatanes y callados. Cuando un charlatán logra hacer que un callado le responda durante una mano, puedes estar seguro de que ha obtenido información. No piques, no hables a menos que creas que eres un actor tan bueno que puedes engañar a un contrario.

Como ya te hemos dicho antes, juega con amigos y familiares y pregúntales si muestras señales. Si te dicen que parpadeas mucho cuando tienes una mano grande, ponte gafas de sol. Si miras a tu reloj cuando tienes un proyecto, ¡quítatelo! Una de las formas más sencillas de eliminar las señales de tu juego es mirar tus cartas solo cuando te toque y en cuanto hagas algo; quédate quieto como una piedra. Mira al bote en el centro de la mesa y no te muevas hasta que termine la mano. Para saber más acerca de las señales, lee el capítulo de Estrategia.

Pide ayuda

No tengas miedo de pedir ayuda. Si no estás seguro de algo o tienes una duda, pregúntale al repartidor. Si tienes un problema más serio, por ejemplo, una queja sobre otro jugador, entonces llama al jefe de sala para que resuelva cualquier problema. Si algo no te gusta, no permanezcas callado. Y si no estás de acuerdo con la forma en la que el repartidor ha llevado una mano o alguien está intentando timarte, pide ayuda. Uno de tus derechos como jugador es sentirte completamente cómodo en cualquier situación.

Encontrar partidas

A medida que el póker se va haciendo más popular, es más fácil encontrar partidas en vivo. Existe una enorme comunidad *online* de entusiastas del póker que organiza grupos para reunirse y jugar al póker. Por lo general podrás encontrar pequeños grupos que juegan torneos de una mesa y partidas con dinero de límites bajos. Navega por la red, puede que encuentres algo.

Resumen

- **El póker en vivo es una experiencia social interesante.**

- **Ahora puedes entrar en un casino o una sala de cartas y comenzar a jugar de inmediato.**

- **Antes de sentarte, observa una partida.**

- **Asegúrate de que puedes barajar, repartir y manejar tus fichas adecuadamente.**

- **La etiqueta y la cortesía te harán ganar tanto amigos como botes.**

- **Controla tu comportamiento y elimina tantas señales como puedas.**

- **En la mesa habla todo lo que quieras, pero sé educado.**

- **Llévate a la mesa todos los juguetes que quieras, pero ten en cuenta al resto de jugadores.**

- **Para encontrar buenas partidas en vivo, busca más allá de lo evidente.**

- **Si tienes alguna duda, pregunta.**

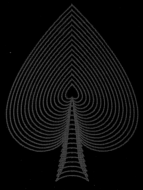

Juegos de casino

«Recuerda: la casa no gana al jugador.
Solo le ofrece la oportunidad de perder
contra sí mismo.»
NICK «EL GRIEGO» DANDALOS (jugador profesional)

Luna de miel para tres: Nicolas Cage descubre que Las Vegas puede ser un lugar muy duro. Aprende a jugar a los juegos de los casinos y para ti resultará más fácil.

En este capítulo aprenderás que......

La popularidad del póker ha hecho que aumenten los juegos en los que se juega contra el casino y la ventaja de la casa. Son muy divertidos y, si buscas tu oportunidad, puede que quieras tener tantas probabilidades de hacerlo como sea posible.

Juegos de casino

¿Estás harto de perder dinero en la ruleta? La mayoría de los casinos tienen varios juegos basados en el póker que pueden resultar divertidos. Pero no esperes ganar a la casa.

Una de las principales razones por las que a los casinos no les gusta el póker es que es un juego que no les proporciona ventaja. Y a los casinos no les gusta jugar a menos que tengan todo de cara. Por eso tienen los juegos basados en el póker en la sala principal de juegos.

Póker Stud caribeño

Al igual que todos los demás juegos, aunque pueda haber de 2 a 9 jugadores en la mesa, tú juegas tu mano contra el repartidor y nunca compites directamente contra otros jugadores. El Stud caribeño es, probablemente, el juego de póker más sencillo y lo aprenderás con gran rapidez.

Secuencia de juego

Cada jugador indica su intención de jugar colocando una apuesta en la casilla de ante de la mesa. Esta cantidad debe quedar dentro del límite que marca la mesa y representa el mínimo que perderás y lo máximo que podrás apostar más adelante. Una vez todos los jugadores han colocado su ante, el repartidor le da a cada jugador cinco cartas boca abajo y después se las ofrece a él mismo, mostrando su última carta.

Ahora, cada jugador debe mirar su mano y decidir si quiere seguir en la ronda. Los jugadores que quieran abandonar colocarán sus cartas boca abajo en la zona de subidas de la mesa. Estas cartas las recogerá el repartidor, junto a los antes de los jugadores originales.

Aunque no es un terreno demasiado imparcial, puedes llegar a pasártelo muy bien en un casino.

Si quieres continuar en la ronda, debes poner el doble de tu ante original en la zona de subida de la mesa. Por tanto, si empezaste con la apuesta mínima de 5 €, solo podrás poner 10 € en la zona de subida. Esto significa que si quieres minimizar tus pérdidas jugándote la cantidad más baja en la zona de ante, también limitas tu capacidad de ganar más si recibes

Stud caribeño

Apuesta Stud

Con la apuesta colocada en la zona de ante, te conviertes en un jugador activo y te repartirán, por tanto, cinco cartas. El resto de jugadores activos recibirán sus cartas y el repartidor se llevará las cinco últimas. Una de las cartas del repartidor se colocará boca arriba.

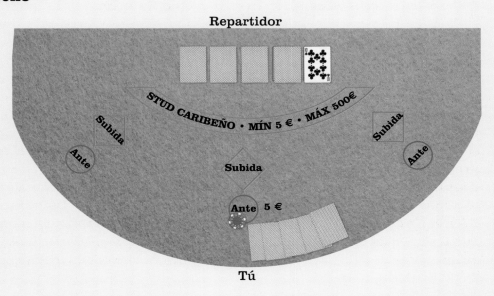

Repartidor

STUD CARIBEÑO · MÍN 5 € · MÁX 500€

Subida

Ante

Subida

Ante

Subida

Ante 5 €

Tú

Subida Stud

Aunque nadie más de la mesa puede ver tus cartas, sabes que tienes una mano fuerte, una pareja de Reinas. Como esta mano vale la pena jugarla, lo indicas colocando una apuesta en la zona de subida. Tu ante inicial eran 5 €, de manera que tu subida solo puede ser el doble de dicha cantidad, es decir, 10 €.

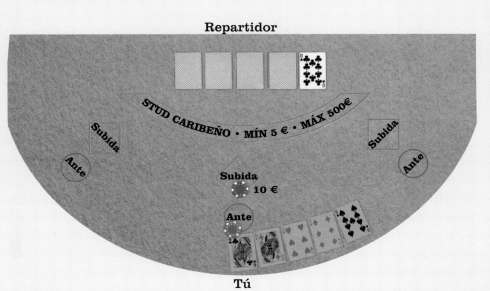

Repartidor

STUD CARIBEÑO · MÍN 5 € · MÁX 500€

Subida

Ante

Subida

Ante

Subida 10 €

Ante

Tú

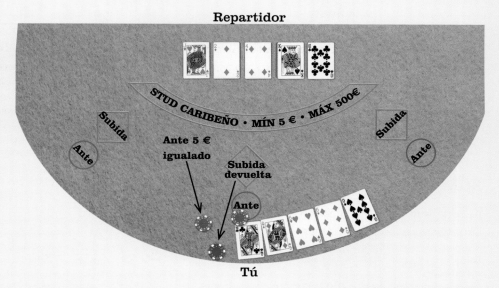

Stud, sin mano

En esta primera ilustración verás qué ocurre cuando el repartidor no logra una mano. El repartidor debe tener al menos As-Rey para jugar y, en este caso, no ha cumplido este requisito mínimo. Cuando esto tiene lugar, con independencia de tu mano, se iguala el dinero de tu ante y se te devuelve la subida.

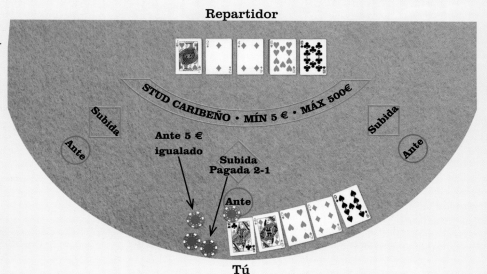

Stud, con mano

En este ejemplo, el repartidor ha ligado una pareja de Dieces, así que tienes competir contra él para ver quién tiene la mejor mano. Si la mano del repartidor es la mejor, podrías perder tu ante y tu subida. Pero aquí, tus dobles parejas superan a sus Dieces, por lo que cobras el ante y el dinero de tu subida según tu mano. Una doble pareja se paga 2-1, por lo que recibes 5 € por tu ante inicial de 5 €, más 20 € por tu subida de 10 €. Unos beneficios de 30 € por haberte jugado 15 €. ¡Excelente!

una mano fuerte. ¡En el Stud caribeño el equilibrio y el control son habilidades necesarias!

Probabilidades de conseguir un premio

En una situación en la que el repartidor tenga una mano y le hayas ganado, no solo ganarás el doble del ante, sino que tu apuesta de subida se pagará siguiendo la tabla siguiente...

Mano	Probabilidades
A-K/una pareja	1-1
Dos parejas	2-1
Trío	3-1
Escalera	4-1
Color	5-1
Full	7-1
Póker	20-1
Escalera de color	50-1
Escalera real de color	100-1

Estrategia

Aunque este juego depende principalmente de la suerte (o tienes una buena mano o no la tienes), hay una parte del juego en la que puedes influir, y es precisamente en poner una subida sin importar la mano que tengas con la esperanza de que el repartidor no haga una mano. El hecho de que el repartidor muestre una de sus cartas hace que al menos dispongas de cierta información para actuar. Si el repartidor muestra un As o un Rey, ya sabes que las posibilidades de que logre una mano aumentan. La decisión de arriesgarte y doblar el ante para proteger tu apuesta inicial está en tus manos.

Consejos

Juega todo lo que quieras, pero los siguientes consejos te ayudarán.

- Sube con cualquier pareja.
- Sube con A-K-Q-J-x (siendo X cualquier carta aleatoria).
- Sube cuando tengas A-K y una carta al menos tan alta como la que muestra el repartidor.
- Abandona si tienes menos que la mano mínima que puede hacer el repartidor (por ejemplo, A-K).

¡Avanzado!

Aunque los jugadores de la mesa reciben las cartas en orden, no se sigue un orden para ver quién actúa primero. Algunos jugadores mirarán sus cartas y se decidirán con gran rapidez, mientras que otros las examinarán cuidadosamente, preguntándose si su mano vale la pena o no.

Si esperas hasta ser el último en actuar, podrás ver cuántos jugadores de la mesa han subido su ante y siguen en la mano. Aunque siempre necesitarás tiempo para ver qué clase de manos se juegan en la mesa, es lógico pensar que los jugadores que se quedan en la mano tienen al menos A-K o superior. Y cuantos más jugadores lo tengan, más improbable es que el repartidor tenga A-K o superior. No es una ciencia exacta, pero podría proporcionarte cierta ventaja.

Apuestas laterales progresivas

Muchos de los juegos que encontrarás en el casino tendrán un *jackpot* progresivo. Esto significa que varias mesas están unidas y tienen un cartel luminoso con un *jackpot* que va aumentando a medida que transcurre el tiempo y se juega más. A menudo verás una ranura para monedas adicional junto a la zona del ante y la subida, o un plato extra que detecta las monedas de metal que te ofrecerá el repartidor si quieres participar en los *jackpots* progresivos. Normalmente a ciertas manos se les paga una cantidad fija, mientras que otras (en general las más raras) cobran un porcentaje del premio progresivo.

En una mesa de 5 € puedes recibir......

el 100 % del *jackpot* progresivo por una escalera real de color.

el 10 % del *jackpot* progresivo por una escalera de color.

el 1 % del *jackpot* progresivo por un póker.

150 € por un *full*.

75 € por un color.

50 € por una escalera.

Póker Pai Gow

Tradicionalmente era un juego asiático al que se jugaba con fichas similares a las del dominó, pero la versión occidental del Póker Pai Gow tiene un mazo de 52 cartas y un comodín que puede utilizarse para completar una escalera, un color o una escalera de color. A simple vista parece más complicado e incluso incomprensible, pero una vez que sepas lo que estás haciendo, te parecerá muy divertido.

Tras colocar tu apuesta, se te repartirán siete cartas, que tendrás que dividir en dos manos, una de cinco cartas y otra de dos. La mano de cinco cartas debe ser la más fuerte. Si haces que la de dos cartas sea la más fuerte por error, perderás la mano automáticamente, ya que se considerará nula.

Una vez hayas repartido tu mano, colocas las dos manos sobre la tabla y el turno pasa al repartidor.

Una vez el repartidor muestre sus manos de cinco y de dos cartas, se comparará con las tuyas. Si ganas al repartidor en ambas, ganas. Si el repartidor te gana en ambas, pierdes. En cualquier otro caso es un *push* (un empate). Si hay un empate absoluto (tanto tú como el repartidor mostráis A-9), la casa gana. Debido a la cantidad de *pushes* que verás en

¡Avanzado!
Después de que el repartidor dé las manos iniciales de siete cartas, lanzará un dado para decidir quién se lleva las cartas. Es un acto ritual y no deberías preocuparte. La casa también se lleva una comisión de las apuestas ganadoras. Deja que el repartidor lo organice todo. Los vigilan muy de cerca, ¡así que no tienes que preocuparte por que se equivoque y te estropee las ganancias!

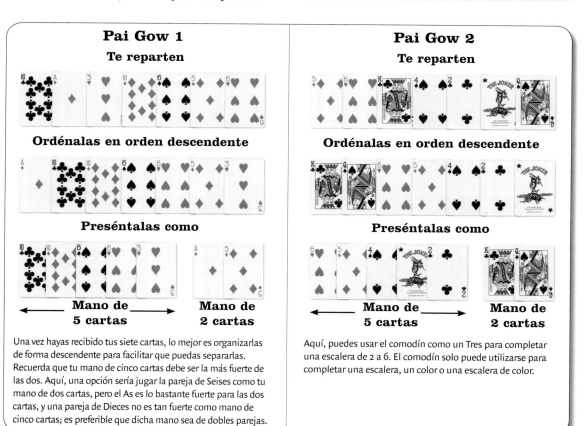

Pai Gow 1
Te reparten

Ordénalas en orden descendente

Preséntalas como

Mano de 5 cartas — Mano de 2 cartas

Una vez hayas recibido tus siete cartas, lo mejor es organizarlas de forma descendente para facilitar que puedas separarlas. Recuerda que tu mano de cinco cartas debe ser la más fuerte de las dos. Aquí, una opción sería jugar la pareja de Seises como tu mano de dos cartas, pero el As es lo bastante fuerte para las dos cartas, y una pareja de Dieces no es tan fuerte como mano de cinco cartas; es preferible que dicha mano sea de dobles parejas.

Pai Gow 2
Te reparten

Ordénalas en orden descendente

Preséntalas como

Mano de 5 cartas — Mano de 2 cartas

Aquí, puedes usar el comodín como un Tres para completar una escalera de 2 a 6. El comodín solo puede utilizarse para completar una escalera, un color o una escalera de color.

¡Avanzado!

También puedes jugar como Banca; ganarás todos los empates y la comisión del 5 % cuando se calculan las pérdidas frente a las ganancias. Si juegas como Banca, debes tener dinero suficiente como para pagar todas las apuestas ganadoras del resto de jugadores y el repartidor. La opción de jugar como Banca se le ofrece a cada jugador por turno.

el Póker Pai Gow, este juego resulta divertido y, además, una banca pequeña te puede durar mucho tiempo. Al igual que el resto de juegos del casino, el Póker Pai Gow es muy amigable. A diferencia del póker convencional no juegas contra otros jugadores. Todos estáis en el mismo bando y una victoria comunitaria puede llegar a celebrarse por todo lo alto.

Victoria en Pai Gow
El repartidor muestra

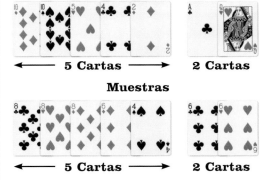

Aquí, has superado la pareja de Dieces del repartidor con tu trío de Ochos y has mejorado su As-Reina con tu pareja de Seises.

Empate en Pai Gow
El repartidor muestra

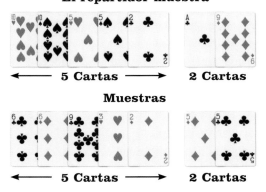

Aquí, el repartidor supera tu pareja de cinco cartas con dobles parejas, pero tu pareja de Cincos supera a su As. Esto es un empate, por lo que se te devuelve la apuesta inicial.

Derrota en Pai Gow
El repartidor muestra

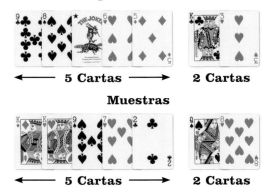

Aquí, la escalera del repartidor supera tu pareja de Reyes en las cinco cartas, mientras que su Rey supera a tu Reina en la mano de dos cartas. Pierdes.

CONSEJO

La única forma en la que puedes influir en el juego es seleccionando qué cartas serán la mano de dos cartas más fuertes y cuáles la de cinco cartas. Si no estás seguro, puedes mostrarle tus cartas al repartidor, que te dirá cómo las organizaría la casa. Como actúas antes que el repartidor, no hay forma de que él pueda usar esto en su favor.

Let It Ride

Se trata de un juego típico de los casinos desde 1993, y es muy popular por su simplicidad. Comienzas colocando una apuesta en cada uno de los tres círculos de apuesta de la mesa. La mayoría de los casinos tienen una apuesta mínima de 5 €, de modo que lo mínimo que apostarás son 15 €. También hay una opción para una apuesta adicional de 1 € junto a los tres círculos principales de apuestas. Las apuestas que se realicen ahí tienen unos premios fijos, dependiendo de la mano que hagas. Pero ya hablaremos de eso.

Una vez has colocado las tres apuestas obligatorias, cada jugador recibe tres cartas. El repartidor se dará a sí mismo dos cartas, que dejará boca abajo ante él. Al final, esas dos cartas se mostrarán, y las podrás utilizar junto a tus dos cartas para hacer la mejor mano de póker de 5 cartas.

En este momento podrás mirar tus cartas y decidir tu siguiente acción. Cuando el repartidor te pregunte, podrás retirar la primera de tus apuestas del primer círculo de apuestas (a menudo puedes indicarlo mediante un movimiento de arrastre con tus cartas contra la mesa frente a esta apuesta) o dejar que la apuesta siga donde está. Ahora, el repartidor dará una segunda vuelta a la mesa, y cada jugador tendrá la opción de retirar su apuesta o dejarla donde está. Tras esta ronda, el repartidor mostrará su carta final, y todos los jugadores podrán ver las cinco cartas (tres propias y las dos del repartidor) con las que harán su mano final. La tercera apuesta del jugador no se puede retirar, así que básicamente el juego tiene, como mínimo, una apuesta y como máximo tres. El repartidor examinará las manos de los jugadores y les pagará según las manos que tengan.

Premios

A continuación se muestra un ejemplo del reparto de premios típico que encontrarás en las mesas de Let It Ride.

Let It Ride es uno de los juegos más fáciles a los que jugar.

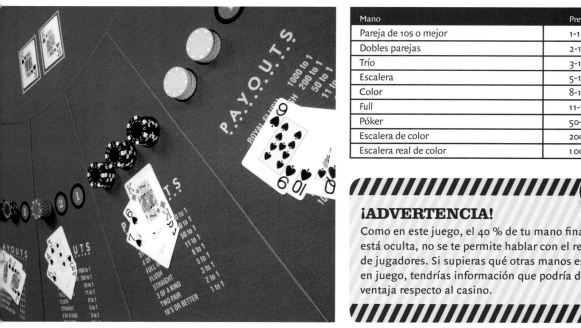

Mano	Premios
Pareja de 10s o mejor	1-1
Dobles parejas	2-1
Trío	3-1
Escalera	5-1
Color	8-1
Full	11-1
Póker	50-1
Escalera de color	200-1
Escalera real de color	1 000-1

¡ADVERTENCIA!

Como en este juego, el 40 % de tu mano final está oculta, no se te permite hablar con el resto de jugadores. Si supieras qué otras manos están en juego, tendrías información que podría darte ventaja respecto al casino.

Estrategia

Aunque el Let It Ride es un juego muy sencillo, para poder tener cierta ventaja y mejorar las posibilidades de ganar hay que utilizar un poco de estrategia.

• **Apuesta #1.** Déjala cuando tengas una pareja de Dieces o, mejor, tres cartas para una escalera real de color o una escalera de color.
• **Apuesta #2.** Déjala cuando tengas una pareja de Dieces o, mejor, cuatro cartas para una escalera real de color, escalera de color o color, cuatro cartas altas (10 o superior) o una escalera abierta.

¡ADVERTENCIA!!

Todos los juegos se juegan contra la casa y la ventaja de la que dispone. Trátalos como una forma de diversión, pero tienes que aceptar que, a la larga, tendrás las probabilidades en contra.

Premios adicionales

Como ya hemos dicho, en las mesas de Let It Ride encontrarás un hueco para una apuesta adicional de 1 €. Al poner 1 €, puedes ganar un premio adicional si completas cualquiera de las cinco manos de póker que hay de trío hacia arriba. Aunque esta cantidad varía, la tabla que aparece más adelante debería proporcionarte una idea de cómo son los premios. Y recuerda que si tienes la suerte de conseguir una escalera real de color, te arrepentirás de no haber puesto ese euro adicional.

Mano	Premio
Trío	5 €
Escalera	25 €
Color	50 €
Full	200 €
Póker	400 €
Escalera de color	3 000 €
Escalera real de color	30 000 €

Let It Ride

Esta mesa tiene un diseño básico de Let It Ride. Enfrente de cada jugador hay tres zonas en las que se debe colocar una apuesta dentro de los límites mínimos y máximos de la mesa. También verás que hay un hueco o un plato para una apuesta adicional. El jugador recibe tres cartas y el repartidor se lleva dos cartas. En la primera y segunda rondas de la partida, cada jugador puede llevarse su apuesta o bien dejarla estar.

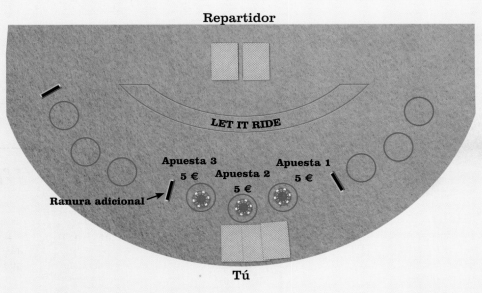

Póker de tres cartas

Otro de los juegos más sencillos del casino, el Póker de tres cartas, es muy popular y divertido. El propio juego consiste, en realidad, en dos juegos a la vez, PairPlus y Ante and Play. Para empezar, tienes que colocar una apuesta en uno o ambos huecos para apuesta de la mesa con los límites que marcan las apuestas máximas y mínimas.

Ambas manos se basan en las tres cartas de póker que recibes.

PairPlus

Esta parte del Póker de tres cartas es muy sencilla y, de hecho, no juegas contra el repartidor. Una apuesta en la caja de PairPlus te proporcionará uno de los premios que se menciona más abajo, si tu mano tiene alguna de las manos de póker habituales.

Mano	Premio
Pareja	1-1
Color	4-1
Escalera	6-1
Trío	30-1
Escalera de color	40-1

Ante and Play

Esta es la parte que juegas contra la mano de tres cartas del repartidor. Tras colocar una apuesta en la zona de apuesta y haber mirado tus cartas, puedes escoger abandonar, con lo que pierdes tu ante y la apuesta de PairPlus, o subir colocando una cantidad igual en la zona de subida de la mesa. Una vez hayas mostrado una subida, te enfrentarás al repartidor. Para que su mano cuente, deberá tener por lo menos una Reina.

Resultado y premio

- Si el repartidor no logra una mano, el ante gana 1-1 y se devuelve la subida.
- Si el repartidor liga una mano y gana al jugador, tanto el ante como la subida se perderán.
- Si el repartidor liga una mano y empata con el jugador, tanto el ante como la subida se devolverán.
- Si el repartidor liga una mano y el jugador le gana, tanto el ante como la subida se pagarán 1-1.

Bonificaciones del ante

Con independencia de la mano del repartidor, hay más posibilidades que afectan a la apuesta. Si muestras un trío, obtendrás 4-1 de tu ante. Muestra

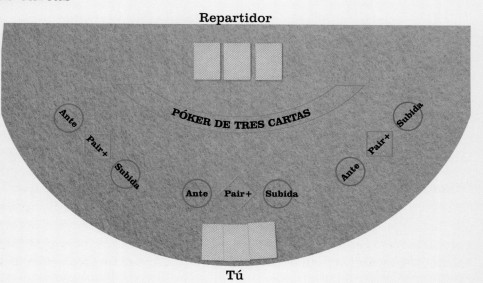

Póker de tres cartas

Aquí, puedes ver el diseño básico, con la zona del ante, de subida y la de PairPlus. Puedes escoger jugar solo al PairPlus o solo al ante, pero los premios son mucho mayores cuando logras una mano y juegas a ambos. Además, aunque quizás pierdas tu ante y subida contra una mano más fuerte del repartidor, ganar en PairPlus puede que reduzca tus pérdidas.

Póker de tres cartas

Aquí, con independencia de la mano del repartidor, ya cobras 1-1 por haber conseguido una pareja en PairPlus. Como has subido, también compites contra el repartidor. Aquí, has ganado a su Rey (recuerda que el repartidor solo necesita mostrar una Reina para tener una mano) con una pareja de Ases. Tanto tu ante como tu apuesta de subida ganan 1-1.

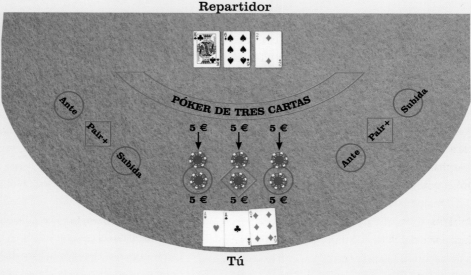

Aquí, tu color ha sido superado por la escalera del repartidor, haciéndote perder tu ante y la subida. Sin embargo, como has hecho una apuesta en la zona de PairPlus, recibes 4-1 por dicha apuesta.

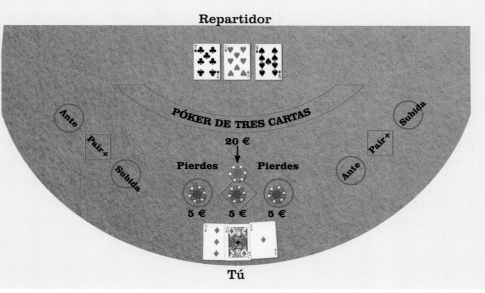

una escalera de color y ganarás 5-1. Obviamente, si juegas a PairPlus y a Ante and Play, ganarás más dinero cuando ligues una mano.

Ultimate Texas Hold'em

La enorme popularidad del Hold'em ha hecho que aparezcan varios juegos nuevos. En este sentido, si quieres algo rápido y no puedes meterte en la sala de cartas, este juego es una alternativa excelente. El más popular de esta nueva oleada de juegos es el Ultimate Texas Hold'em. Puedes empezar haciendo una apuesta equivalente en la zona de ante y de ciega, tras lo que recibirás dos cartas. Una vez hayas visto tus cartas podrás hacer una apuesta de tres o cuatro veces tu ante en la zona de juego o pasar. El repartidor repartirá entonces el *flop*. Si aún no has apostado, ahora podrás hacer una apuesta del doble de tu ante, tras lo cual el repartidor mostrará las dos últimas cartas comunitarias. Ahora puedes abandonar o hacer una apuesta igual al ante.

Si te has quedado en la mano hasta el final, tu mano se comparará con la del repartidor, que, para que cuente, deberá tener al menos una pareja. Si el repartidor no logra una mano, el jugador recuperará las apuestas del ante, mientras que se pagará el resto de apuestas. Si tú y el repartidor tenéis la misma mano, es un empate y se devuelven todas las apuestas. Si el repartidor te gana, perderás las apuestas de la jugada, la ciega y los antes. Si ganas al repartidor, cobrarás tus apuestas de ante y las apuestas de juego a 1-1. La apuesta ciega recibe un premio específico dependiendo de la mano.

Mano	Premio
Escalera	1-1
Color	3-2
Full	3-1
Póker	10-1
Escalera de color	50-1
Escalera real de color	500-1

En la mesa hay una zona separada llamada *trips*. Se trata de una apuesta adicional opcional que eres libre de hacer en cada ronda. Si logras una mano en particular, recibirás un premio de la tabla siguiente:

Mano	Premio
Trío	3-1
Escalera	5-1
Color	6-1
Full	8-1
Póker	30-1
Escalera de color	40-1
Escalera real de color	50-1

Estrategia

Este juego no tiene demasiada estrategia. O te reparten una mano o no lo hacen, pero un conocimiento básico de las probabilidades te ayudará a decidir si debes apostar mucho o no tras recibir tus cartas iniciales. Como la opción de hacer una apuesta grande se reduce a medida que la mano progresa, si optas por pasar cuando te repartan un 6-8, ganarás menos cuando en el *flop* aparezca 7-9-10.

Un jugador de Hold'em veterano sabrá qué manos iniciales tienen muchas posibilidades de transformarse en una mano ganadora, pero también conocerá la facilidad con la que un *flop* puede destruir una mano ganadora. La zona de bonificación de *trips* te proporciona cierta consolación, ya que si logras una buena mano pero la del repartidor es mejor, ganarás un poco de dinero.

Ultimate Texas Hold'em

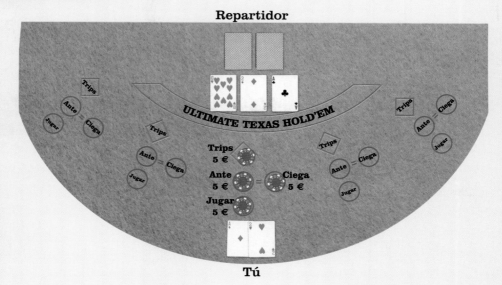

Es el juego más parecido al real que encontrarás en la zona de juegos, y ya solo por ese motivo, te recomendamos que lo pruebes.

Resumen

- Los juegos de casino son mucho más de lo que aparentan.

- Si no dispones de mucho tiempo, úsalos para entretenerte.

- Al jugar, al menos podrás tomarte unas copas gratis...

- Pero con un poco de estrategia tus posibilidades mejorarán mucho.

- Saber qué juego se adecua mejor a tus objetivos es vital...

- Pero nunca debes olvidar que son solo una mera diversión y que al final acabarás perdiendo.

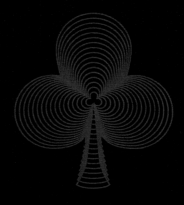

Trata a los juegos de casino simplemente como una diversión y te lo pasarás muy bien.

Etiqueta del póker

«Ser un competidor duro y también la clase de persona con la que la gente quiere competir es fácil.»
CHUCK THOMPSON (jugador de póker profesional)

En este capítulo aprenderás a...

En la mesa viste como quieras, pero asegúrate de ser educado.

Comportarte mientras juegas al póker. Es como ir al colegio. No debes olvidar que, aunque no seas el mejor jugador del mundo, puedes ser el que mejor se comporta y esa es otra forma de ganarte el respeto del resto de los jugadores.

Etiqueta del póker

Como todos los juegos, el póker tiene sus propias reglas, tanto escritas como no escritas. No son difíciles de aprender y en este capítulo te vamos a enseñar a comportarte en la mesa como si fueras un profesional.

El póker, como cualquier otro juego, tiene unas reglas que hay que seguir a rajatabla. Por ejemplo, en el Texas Hold'em, todos reciben dos cartas; siempre hay un *flop*, un *turn* y un *river* para hacer tu mano; y la mano más alta gana. Pero existen otras «reglas» que se ocupan de la etiqueta y que se encuentran en una especie de zona gris. No respetarlas no hará que te echen de una partida pero podrían penalizarte y molestar al resto de jugadores.

En primer lugar, no olvides que el póker es un juego social, incluso en Internet. Y, como juegas con otras personas, es evidente que tienes que comportarte con cierto decoro para que, aunque ganes o pierdas, todos se diviertan. Y es que, en el fondo, esto es lo que quieren todos, en especial cuando estás ganando. Quieres que los perdedores vuelvan a tu mesa y no paren de ofrecerte su dinero.

Para facilitarte las cosas, hemos dividido la etiqueta del póker en 13 simples reglas. Si las sigues todas o solo algunas es cosa tuya y, obviamente, dependerá de si juegas con amigos o con desconocidos.

· Lee este libro

La mayoría de los jugadores de póker son amables con los principiantes, siempre que ellos sean capaces de entender las cosas con rapidez. No tienes que ser un experto en todo, pero es importante que conozcas lo básico. Si has leído este libro entero, no deberías tener ningún problema.

· Pon tus ciegas

Las ciegas son las apuestas obligatorias, diseñadas para que haya acción al principio de cada mano. Intenta recordar cuándo te toca ponerlas (cuando eres uno de los dos jugadores situado a la izquierda del jugador, conocidos como *ciega pequeña* y *ciega grande*, respectivamente), ya que puede ser realmente molesto para los demás jugadores o para el repartidor tener que recordarte siempre que es tu turno. Y, al mismo tiempo, ralentiza el juego.

· No estrelles el bote

Estrellar el bote consiste en lanzar tus fichas a la pila en mitad de la mesa. ¿Por qué está mal?

Mike «The Mouth» Matusow es uno de los mejores jugadores de póker del mundo, pero no de los más educados.

No te pierdas *Rounders*, una película basada en el póker.

Pues porque hace que al repartidor o a cualquiera de la mesa le cueste mucho más saber qué has apostado y se considera de muy mala educación. No tienes que colocar tus fichas con mucho cuidado sobre la tela (aunque puedes hacerlo si quieres): puedes deslizarlas, apilarlas o lo que desees. Pero siempre debes asegurarte de que estén separadas del resto de montones de fichas de la mesa.

· Actúa cuando te toque

El póker es un juego de apuestas, y si no actúas cuando te toca, vas a ofrecer información gratis al resto de jugadores de la mesa que todavía tienen que apostar. Y esto va a hacer que los jugadores que ya han puesto sus apuestas se enfaden bastante.

Fíjate en este ejemplo. Quedan tres personas por apostar, el Jugador A, tú y el Jugador B. El Jugador A está a punto de abandonar cuando, debido a que no estás prestando atención, tiras tu mano. El Jugador A ahora tiene que considerar sus opciones. Su mano puede que no fuera lo bastante buena como para enfrentarse a dos personas (tú y el Jugador B), pero estará encantado de jugársela contra uno. Hace una subida fuerte y el Jugador B se ve obligado a abandonar, aunque no antes de lanzarte una mirada asesina. Y también es algo que se puede volver en tu contra. Si apuestas fuera de turno, quizás porque tienes una mano asombrosa y no puedes esperar, puede que convenzas al resto de jugadores que iban a apostar para que abandonen, haciéndote perder un buen bote. Y si te dejan hacer tu apuesta, puede que pierdas el derecho a subir si alguien apuesta antes que tú. Así que presta atención a la partida y, si te distraes, fíjate dónde está el botón del repartidor, ya que él te indicará quién es el primero en apostar. Si sigues sin aclararte, pregunta. No le va a importar a nadie. Y si actúas fuera de turno (le ocurre a los mejores), levanta las manos y *discúlpate*. Siempre que no se convierta en una costumbre, la mayoría de los jugadores aceptarán que fue un error no intencionado.

· Guarda silencio

Aunque te sientas tentado de comentar con tus oponentes qué has tirado cuando aparezca el *flop*, no lo hagas, ya que estarás proporcionando información vital que podría cambiar el resultado de la partida

Por ejemplo, en el *flop* aparecen tres corazones y no puedes evitar decir que has tirado el As de corazones. Si alguien que todavía está jugando tiene un color al Rey, ya sabrá que tiene la mejor mano. Así que permanece callado hasta que termine la mano. Y eso también se aplica a dar consejos, aunque alguien te los pida. Si te equivocas, harás que se enfade y, si tienes razón, los que se enfadarán serán los oponentes. Pero sin importar lo que hagas, nunca enseñes tus cartas a la mesa cuando abandones si la mano todavía se va a seguir jugando. De hecho, nunca deberías mostrar las cartas, pero si tienes que hacerlo, espera a que la mano termine y sigue la regla de «si se las enseñas a uno, se las enseñas a todos» que explicamos más adelante.

· Si las enseñas a uno, se las enseñas a todos

Ya te hemos aconsejado que nunca muestres tus cartas a tus oponentes porque vas a ofrecerles información gratis. Si no puedes resistir la tentación (y a algunos jugadores les gusta dar información gratis a sus oponentes para poder atraparlos más tarde), se acepta que si se las enseñas a alguien, después tengas que enseñárselas a todos. El repartidor debería asegurarse de esto (y si estás jugando *online* no tienes elección). Lo mejor es ponerlas directamente boca arriba.

· No pierdas tiempo

Es un tema candente del póker. Si juegas *online* dispones de un límite de tiempo (normalmente 30 segundos) que te permite saber con exactitud cuánto tiempo tienes para tomar tu decisión antes de que tu mano se abandone automáticamente (o se vea si no ha habido nadie que haya actuado antes que tú). Pero eso no se aplica al póker en vivo (excepto si juegas en un torneo de póker de velocidad); de hecho, no existe límite de tiempo ni definición de cuánto tiempo es razonable. Algunos jugadores se aprovechan de esto para incomodar al resto de jugadores. Imagina que el Jugador X tarda 10 minutos en cada mano mientras pondera sus opciones, después las pondera un poco más y acaba tirándolas. Lo más probable es que no siempre tenga una buena mano, así que lo que hace es mirar chatarra a sabiendas de que va a abandonar, pero se toma su tiempo para intentar sacar de sus casillas al resto de jugadores.

Pero no es solo una táctica enervante. Si juegas en un torneo con ciegas que aumentan de forma regular, por ejemplo cada hora, un jugador que tarda muchísimo en actuar en cada mano va a reducir bastante el número de manos de cada nivel, y eso va a dar una ventaja enorme al resto de mesas.

Puedes pedir «tiempo» a otro jugador solicitando al repartidor que le ponga un reloj al jugador, pero no existe un tiempo fijo antes de que puedas actuar así. Y la mayoría de los jugadores no consideran que sea su responsabilidad, ya que puede provocar gran malestar. A los jugadores normalmente no les gusta que los presionen. Así que si te enfrentas a una decisión vital, tómate todo el tiempo que creas necesario para tomar la decisión correcta. Si has actuado puntualmente durante la partida, tus oponentes deberían respetarte. Pero si has sido lento, no esperes la misma comprensión.

Y no tardes 10 minutos en abandonar con un 7-3 de diferente palo solo para irritar a tus oponentes. Eres mejor que eso.

· Prohibidos los teléfonos móviles

En los grandes torneos, los teléfonos móviles están prohibidos y puedes llegar a ser suspendido de la mesa e incluso expulsado del torneo, ya que podrías estar recibiendo información de alguien que puede ver las cartas de tus oponentes. Deberían estar apagados incluso en la

¡ANÉCDOTA!
Si eres de esa clase de jugadores que no soporta esperar, puede que te interese el nuevo formato de Speed Poker, que está ganando popularidad. En lugar de dejar a los jugadores decidir los límites de tiempo, el Speed Poker te da 15 segundos para que tomes tus decisiones. Si agotas el tiempo, tu mano pasará o abandonará.

Speed Poker te da solo 15 segundos para tomar una decisión y es una variante bastante popular entre los nuevos jugadores por Internet.

partida casera más informal. No hay nada más molesto que una partida de póker excelente interrumpida durante varios minutos de charla con tu pareja: «Llegaré a casa pronto. Sí, lo sé. LO SÉ». Haz un favor a todos los demás y apágalo.

· Modera tu lenguaje

Lo que para ti puede ser un lenguaje aceptable quizás no lo sea para otros, así que si juegas con desconocidos, tenlo en cuenta. En Estados Unidos no gusta que se digan tacos en las mesas, y allí vale casi todo. De hecho, en los grandes torneos como las WSOP, decir tacos en una mesa puede hacer que recibas una suspensión de 10 minutos y las penalizaciones se van acumulando. Mike Matusow lo descubrió en el torneo de 2005, cuando se ganó una penalización de 40 minutos por repetidas infracciones. Pero si juegas en casa con tus amigos, compórtate como siempre.

· Sé un buen ganador...

Cuando ganes (y después de leer este libro, lo harás), recuerda que alguien ha perdido. Las celebraciones alocadas como en el fútbol cada vez son más comunes en el póker, pero muchísimos jugadores las consideran de mal gusto. Imagínate que estás al final de esta mano: has llegado al cara a cara (la final) de un gran torneo y tienes una pareja de Ases. Como tienes pocas fichas, haces *all-in* y, para tu alegría, tu

Los teléfonos móviles no están bien vistos en la mesa de póker; de hecho, podrían hacer que te suspendan o descalifiquen.

Si ganas, es porque otro ha perdido. Procura recordarlo y deja las celebraciones desbocadas hasta que hayas estrechado su mano.

oponente lo ve y muestra Ah-9s. Vas muy por delante, pero en la mesa aparecen cuatro corazones, que le dan la mano máxima en el *river*. ¿Qué preferirías que hiciera ahora? ¿Alzar el puño y después darte la mano mientras dice «Buena jugada»? ¿O que te ignore y choque la mano con toda la sala?

Haz caso a la vieja máxima «no hagas a los demás lo que no quieres que te hagan» y siempre quedarás bien.

· ... Y acepta la derrota con dignidad

No seas un mal perdedor. Acéptalo con señorío, encógete de hombros y felicita al ganador, aunque no haya jugado bien. Si no se te ocurre nada agradable que decir, no digas nada. Si has perdido por un golpe de suerte particularmente cruel, eres libre de ir a tu habitación del hotel y ladrarle a la luna todo lo que quieras. Pero no lo hagas en público o te desahogues con alguien que solo pasaba por allí. La verdad es que no les interesa en absoluto cómo han superado a tus Ases.

· No «agites el acuario»

Es por el bien de todos. A los malos jugadores de póker se les llama *peces*. Y un buen jugador de póker quiere que haya tantos peces en su mesa como sea posible. Así que, hagas lo que hagas, no asustes a los malos jugadores antes de quedarte con todo su dinero. Puede no parecer agradable, pero no estás jugando al póker para hacer amigos. Digamos que estás jugando una partida con dinero con una pareja de peces ricos. No saben jugar, pero la verdad es que les es indiferente. Pueden permitirse perder dinero y, mientras se sigan divirtiendo, estarán encantados de seguir jugando. Por desgracia, otro de los jugadores de la mesa piensa que su deber es ridiculizarlos. Cada vez que uno de ellos hace una mala jugada, él se lo dice y les atormenta. Así que al poco rato recogen y se marchan. ¿Qué opinas ahora del bocazas? Si en el acuario hay peces, no lo agites. Los asustarás.

· Comportamiento inaceptable

Algunas reglas de etiqueta son consejos y guías, pero si ves a alguien que actúa de forma violenta, insultante, sexista, racista u homófoba, haz que lo expulsen de la partida. Si juegas *online*, denúncialo a la dirección y haz que lo expulsen de por vida.

Por encima de todo, no olvides que el póker se supone que es divertido. Sigue todos los puntos que hemos mencionado en este capítulo. No tenemos nada en contra de bromear un poco en la mesa de póker y el mundo del póker sería muy aburrido si todos estuvieran callados y no dijeran nada. El sentido común debería ser tu guía, y si alguna vez ofendes a alguien, discúlpate y estrecha su mano.

¡ADVERTENCIA!

En algunos eventos, decir tacos no es solo de mala educación... En las WSOP y otros grandes torneos te expulsarán durante 10 minutos por maldecir; es la regla denominada F-Bomb, algo que Mike «The Mouth» Matusow descubrió en las WSOP de 2005. Fue expulsado durante 40 minutos por decirle repetidas veces al repartidor a dónde podía irse.

CONSEJO

Usa tu sentido común. Meterse con la gente de la mesa puede considerarse una táctica legítima, en especial en Estados Unidos. No decimos que siempre tengas que portarte bien; te hemos explicado las reglas para que las uses como quieras. Trata a los demás como quisieras que te tratasen a ti y todo irá bien. Y lo más importante, pásatelo bien y, si para eso tienes que ser un poco malvado de vez en cuando, adelante.

Resumen

- **Aprende las reglas del juego.**
- **Pon tus ciegas correctamente.**
- **No estrelles el bote.**
- **Actúa cuando te toque.**
- **No hables de las manos hasta que hayan terminado.**
- **Si muestras tus cartas, no se las enseñes solo a un jugador, enséñaselas a todos.**
- **No pierdas tiempo.**
- **Prohibidos los teléfonos móviles.**
- **Nada de tacos.**
- **Sé un buen ganador.**
- **Y acepta la derrota con dignidad.**
- **No agites el acuario.**
- **Usa tu sentido común.**

«The Devilfish» es el mejor jugador de póker del Reino Unido y también una de las personas más extravagantes del circuito. No esperes que en la mesa esté callado.

Consejos para mejorar tu juego

«Un día un perdedor, al siguiente un campeón. Hay que ver lo que cambian las cosas en un día...»
MIKE SEXTON (jugador de póker profesional)

En este capítulo aprenderás a...

Mejorar tu juego de forma inmediata, si incorporas las siguientes reglas a tu juego. Quizás algunas de ellas no sean de tu agrado, y tienes libertad para seguir o ignorar las que quieras, dependiendo del nivel de juego en el que te encuentres, pero si las sigues serás un jugador de póker mejor. Te lo garantizamos.

Una de las escenas cumbre de la película de póker El destino también juega.

Consejos para mejorar tu juego

¿Tienes problemas con la manera de jugar? ¿Buscas una solución rápida? Seguidamente te mostramos unas sencillas sugerencias que podrían hacer que en un instante te convirtieras en un mejor jugador de póker.

Concéntrate

1

En un partido de fútbol no chutas el balón y después te apartas y empiezas a pensar en lo que vas a cenar, de modo que tampoco lo hagas en el póker. Recuerda que siempre están ocurriendo cosas. Si te distraes, aunque solo sea un segundo, puedes perder información vital de uno de tus oponentes. Aunque abandones, observa al resto de jugadores como si fueras un halcón, ya que puedes aprender algo que te resultará útil más adelante. Obsérvalos cuando se muestre el *flop* y estudia sus reacciones en el *turn* y el *river*. Busca patrones de apuestas y fíjate en cualquier gesto que muestre su juego. Y lo que es más importante, presta atención a tus cartas y a tu comportamiento. Ellos también te estarán observando.

No bebas

2

Si juegas para ganar, no bebas o, como máximo, tómate solo un par de copas. Si eres un jugador muy comedido, quizás pienses que un barril de cerveza te hará mejorar, pero no es así. Haz la prueba; juega una partida larga mientras bebes, y a la mañana siguiente, intenta recordar cómo jugaste. No es agradable, ¿verdad?

3

No te enamores de una mano inicial mala

Que los jugadores son gente supersticiosa no es ninguna novedad. Y algunos jugadores de póker se sienten unidos a una mano inicial en particular. Por ejemplo, si en Texas Hold'em ganas un bote enorme con 4s-7s. ¿Quiere decir eso que siempre deberías jugar esa mano? En absoluto. Significa que nunca debes olvidar que la suerte juega un papel en el póker y que solo deberías jugarla en la situación adecuada.

4 Perfecciona tu cara de póker

Solucionar los pequeños problemas en tus gestos no es en absoluto fácil. ¿Cómo se supone que vas a saber que cada vez que intentas tirarte un farol estrellas el bote? ¿Cómo puedes dejar de rascarte la nariz o parpadear dos veces cuando te dan buenas cartas? Pero, aunque no puedas eliminar todas estas señales, puedes intentar librarte de las más obvias. ¿Qué te parece perfeccionar una expresión fija, para utilizarla pase lo que pase? Mira fijamente al frente, si eso te funciona, pero asegúrate de que siempre lo harás. Y si juegas regularmente con amigos, organiza una vez al mes una reunión para comentar vuestras señales. Os convertirá en mejores jugadores.

5 No tengas miedo

Muestra cualquier debilidad en el póker y se cebarán con ella. No debes tener miedo de jugarte todas tus fichas a una carta, aunque sepas que con solo un poco de mala suerte estarías acabado. Si te asustas, te quedarás paralizado y no jugarás bien. Piensa en todo lo que has invertido en torneos o partidas, en dinero como dinero gastado, olvidado y superado. Concéntrate en las posibles ganancias.

Controla tus emociones

6

Si en una máquina de *flipper* pierdes el control, podrás ver un enorme cartel con la palabra FALTA. Tus *flippers* no funcionarán y perderás la bola. Pierde el control de tus emociones en la mesa de póker y la palabra FALTA empezará a resplandecer en tu frente. Sí, el juego puede ser cruel. Sí, de vez en cuando perderás por una probabilidad entre cien, pero enfadarte solo empeorará las cosas. Todos los buenos jugadores de póker son capaces de soportar los momentos duros con calma y saben que al final la suerte les volverá a sonreír.

7 Mira el póker en la televisión

Cada partida (salvo algún error de un famoso) está repleta de jugadores excelentes, y con bastante frecuencia se puede ver a los mejores jugadores profesionales del mundo. Obsérvalos. Fíjate en lo que hacen, cuándo lo hacen y por qué. Prueba algunas de sus técnicas e intenta usarlas. Si lo hacen, úsalas; si no, olvídalas. A veces puedes aprender más viendo una partida en la televisión que leyendo cualquiera de los cientos de libros de estrategia disponibles.

8 Juega en vivo y por Internet

El póker en vivo y por Internet son dos bestias completamente diferentes y puede que descubras que tu juego es mejor en una de las dos. Pero si juegas en ambas, tu juego mejorará. Si juegas en vivo, juega por Internet, aunque sea en las mesas gratuitas. Si juegas casi exclusivamente *online*, intenta jugar en un casino próximo a donde residas u organiza una partida regular con tus amigos. Quizás descubras que te cuesta acostumbrarte y, al principio, puede resultar frustrante, pero mejorarás porque, con independencia de lo que diga la gente, nada puede sustituir a la experiencia.

9 Sé tú mismo

Todo el mundo tiene una opinión sobre cómo deberías actuar en la mesa:

«No digas nada.»   «No lleves gafas de sol.»
«Se amable y charlatán.»   «Limítate a escuchar tu iPod.»
«Lleva gafas de sol.»   «Escucha lo que dicen todos.»

Al final, todos tienen una opinión, pero ninguna es cierta o está equivocada, así que haz lo que quieras. Si te apetece llevar una boa de plumas, adelante. Si alguien te dice que lo que haces está mal, ignóralo. O dile que se meta en sus asuntos. O sube el volumen de tu iPod. Sé tú mismo.

10 Aprende a hacer trucos con las fichas

Lo cierto es que se trata de algo que no va a mejorar tu juego y, ciertamente, no es necesario, pero cuando alguien se sienta a tu lado y empieza a juguetear con sus fichas, está intentando intimidarte. Te está diciendo, de forma clara, que es el jefe. Así que déjale jugar durante unos minutos y, después, muéstrale alguno de los trucos más difíciles, como la mariposa, y fíjate en cómo se encoge en su silla.

11 Apuesta como un profesional

No quieres que te califiquen como un pez. Un pez atrae instantáneamente la atención del resto de jugadores de la mesa. Y no hay mejor forma de que te miren mal que apostar como un novato. Así que en las primeras etapas de un *sit-and-go*, cuando tengas una pareja de Ases de mano y las ciegas sean ridículamente bajas, no hagas *all-in* antes del *flop*. Y de la misma forma, tampoco apuestes poco continuamente y en el *turn* no muestres la mano máxima. La gente se reirá de ti. Haz apuestas del tamaño adecuado y no caigas en patrones fáciles de ver.

12 Farolea con cabeza

No hay mayor placer en el póker que ganar un bote con un farol. Pero que no se te suba a la cabeza. Todos los buenos jugadores saben que no vas a tener buenas manos siempre, y si faroleas como un maníaco la gente lo sabrá y te tenderá trampas. Sé agresivo, pero saber cuándo farolear y cuando cambiar el ritmo y jugar las manos *premium* es un arte digno de un buen jugador de póker.

13 Conoce tus límites

El póker es una de las formas de juego más seguras. Juega torneos y sabrás con exactitud cuánto te estás gastando y cuánto puedes ganar. Las partidas con dinero son diferentes y solo deberías jugar dentro de límites coherentes. Arriesga más de lo que te puedes permitir perder y te quedarás fuera de tu «zona de seguridad», por lo que tu confianza y tu juego se resentirán y perderás más. Se trata de un círculo vicioso bastante desagradable.

Práctica los cara a cara

Jugar cara a cara es muy diferente a jugar con varias personas. Ejemplifica la parte del juego de «jugar contra el jugador» y será mucho más rápido y agresivo. Pero si tienes alguna ambición de ganar, es una faceta del juego que deberás dominar. Es como los equipos de fútbol que practican los penaltis antes de la Copa del Mundo. Y recuerda que si no encuentras a nadie para jugar en vivo cara a cara, en Internet hallarás a centenares de jugadores.

Aprende a abandonar

Puede que al empezar tuvieras una buena mano, pero a medida que la partida se desarrolle, si crees que te han ganado, abandona y reduce tus pérdidas. Quizás hayas oído a alguien decir: «Bueno, creo que me has ganado, pero voy a ver de todas formas». Pues tú no lo digas. Si crees que te han ganado, acepta la derrota.

Conoce tu juego

Es posible que seas un maestro del Texas Hold'em, pero un cambio a Omaha o al Stud de siete cartas podría hacer que quedaras en bancarrota en cuestión de horas. Existen muchísimas variantes del póker y, aunque en algunas los cambios de las reglas son sutiles, la diferencia en la realidad puede ser inmensa. Practica cada juego y asegúrate de conocerlo muy bien antes de empezar a apostar dinero.

No mires tus cartas

Aunque en algún momento tendrás que hacerlo, a menos que tengas un sexto sentido (en cuyo caso no necesitarás este libro y sí a Bruce Willis), no lo hagas antes de que sea necesario. Cuando miras tus cartas puedes estar facilitando información a tus oponentes, de manera que, ¿para qué ofrecer a tus contrincantes la posibilidad de ver tu reacción antes de que hayan actuado? Y, si miras tus cartas cuando no te toca, estás mirando al sitio equivocado; deberías estar observando a tus oponentes, que estarán mirando sus cartas. Mirar las cartas en cuanto te las dan puede resultar muy tentador, pero nada práctico.

18 Sé agresivo, pero selectivo

Y no nos referimos a que te metas con alguien porque no te gusta cómo juega al póker. Este es un juego en el que se gana casi exclusivamente apostando de forma agresiva. Juega de forma timorata y pasiva y no ganarás con regularidad. Tienes que aprender a cambiar el ritmo y, en determinadas situaciones, jugar de forma mucho más agresiva. Pero no se trata de una ciencia exacta; deberás adaptar tu juego, calculando cuándo y dónde debes cambiar.

No sigas patrones 19

Es vital que varíes tu juego todo lo que puedas. Si tus oponentes pueden ver que sigues un patrón fijo, entonces te sacarán el dinero a voluntad. No subas siempre con Ases, Reyes u otras manos *premium*. Si lo haces, tus oponentes sabrán cuándo abandonar; asimismo, si solo ves, podrán forzarte a abandonar la mano con una gran subida. Y de la misma forma, no tires siempre la chatarra. Recuerda que en el póker para ganar no hace falta tener la mejor mano.

20 Aprende el argot

El póker puede resultar muy intimidante cuando no sabes de qué habla la gente. ¿*Flop*? ¿*River*? ¿*Quemar*? Consulta la página 182 y todo se aclarará.

21 Aprende a barajar

Si juegas *online*, las cartas se barajan solas. Si puedes permitirte la entrada de 10 000 $ para las World Series of Poker, alguien barajará por ti. Pero si vas al casino de tu localidad o invitas a tus amigos a echar unas manos, tendrás que barajar el mazo tú mismo. Y nadie quiere parecer alguien sin habilidad para barajar. Si no sabes barajar, pon todas las cartas boca abajo en la mesa y mézclalas utilizando ambas manos. Se trata de una de las mejores formas de barajar un mazo de cartas.

22 Comprueba tus cartas

¿Has visto alguna vez a un jugador de póker profesional levantar las cartas de su mano, acercárselas al pecho y mirarlas antes de volver a colocarlas boca abajo? ¿No? Existe una razón muy buena. Al levantar tus cartas de la mesa te arriesgas a que las vean tus oponentes. Y eso es casi como facilitarles tu tarjeta de crédito y tu número secreto. Déjalas en la mesa y levanta solo las esquinas mientras las ocultas con las manos. Además, queda mucho mejor.

23 Sé amable

El póker tiene reglas de etiqueta (ver p. 162) y, aunque su interpretación cambia en gran medida dependiendo del juego y del país, deberías seguir tantas como puedas. Nadie quiere jugar con un palurdo y, si siempre te metes con el resto de jugadores, nadie querrá volver a jugar contigo.

24 Prepárate mentalmente

Si no te apetece jugar o estás de mal humor, enfermo, cansado o lejos de tu equilibrio habitual por cualquier razón, no juegues. Es muy simple.

25 Descansa de vez en cuando

El póker puede resultar muy absorbente. Pero también es muy exigente y algunas veces agotador. Así que cuando te encuentres cansado, descansa un rato. Normalmente con que pares un poco cada hora o cada dos horas suele ser suficiente para poder volver a jugar y estar en plena forma. Incluso en las partidas en vivo, siempre puedes descansar unos momentos, tomar el fresco y calmarte si estás enfadado. Jugar cansado o enojado no es una opción.

Sin rencores

26

Los jugadores juegan entre y contra ellos, no solo contra ti. Si un jugador te ha ganado muchas manos, enfadarte con él solo va a hacer que te gane más, e intentar buscar algo personal es una pérdida de tiempo. Está allí para lo mismo que tú: para jugar al póker. Buscarle tres pies al gato hará que pierdas tus fichas con mayor rapidez.

27

No te dejes avasallar

En algún momento te encontrarás con jugadores que se creerán demasiado graciosos o que pueden resultar insultantes. Aunque hay ciertos límites que entran dentro de lo que es el juego, esa persona está pagando el mismo dinero que tú y tienes el mismo derecho a jugar y a divertirte que los demás. No dudes en hablar con el encargado, ya sea de una página *online* o de la sala, si crees que el asunto ha ido demasiado lejos.

Diviértete

28

Quizás esto no te permita jugar mejor al póker pero impedirá que lo hagas peor. Jugar por obligación no es una forma de jugar al póker. Si adviertes que la partida te aburre, déjala. El póker no es un trabajo, no hay un horario que cumplir. Ya habrá partidas más emocionantes.

29

No rompas las burbujas

En los torneos se denomina *burbuja* al momento en el que quedan casi tantos jugadores como puestos con premios. Si en un torneo, los 10 primeros reciben dinero, quedar el 11 es una de las experiencias más frustrantes que se pueden producir en el póker. Es mejor ser eliminado antes que tan cerca de la meta. Así que, cuando estés en la burbuja, mantén la calma y piensa todo muy bien.

30 Toma notas

Es imposible acordarse de todo lo que haces, contra quién juegas y contra quién podrías jugar. Por ello, es recomendable tomar notas, fijarse en las cosas que crees que son importantes y apuntarlas. Si es sobre una jugada, luego podrás estudiarla mejor; si es acerca de un jugador, cualquier información es buena. Aunque parezca algo extravagante cuando se hace en vivo, en realidad no lo es. Si revisas tus notas, tu juego irá mejorando.

31 Apúntate a una escuela de póker *online*

En este libro hemos mencionado algunas y realmente valen la pena. No cuestan nada, ofrecen muchos beneficios para jugar en salas asociadas a ellas y podrás leer artículos y hablar con otros jugadores que no dudarán en ayudarte y explicarte cualquier duda que tengas. Mejorar tu juego y aumentar tus beneficios gratis no es algo que puedas hacer todos los días. No desaproveches la oportunidad.

32 No te creas todo lo que oigas

No seas crédulo en las mesas. Todos los jugadores cuentan historias épicas de manos legendarias que tuvieron y con las que ganaron a todo el mundo, o jugadas que demuestran que todos menos ellos son novatos. No te las creas ni hagas caso. Ríete con las divertidas e ignora el resto.

33 Lee la letra pequeña

Muchas páginas ofrecen excelentes ofertas, grandes bonos y un gran número de premios y torneos. Pero todo tiene una razón de ser. No dejes que los grandes carteles luminosos te cieguen, lee todas las condiciones con cuidado.

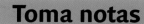

34 Vuelve a leerte este libro

No hace falta que sea ahora, a menos que así lo desees. Deja que pasen algunas semanas, juega algunas partidas y después vuelve a revisar estas páginas. Puede que descubras algo que la primera vez se te pasó por alto, o que algo que no entendías, ahora que ya tienes más experiencia, te quede claro.

Resumen

- La concentración es vital.
- No juegues ebrio.
- No te enamores de tu mano de la suerte.
- Desarrolla una cara de póker y no te asustes.
- Controla tus emociones.
- Mira las partidas de póker que emiten por la televisión y juega todo lo que puedas.
- Sé tú mismo.
- Aprende a apostar como un profesional y a hacer trucos con las fichas.
- Farolea de forma selectiva.
- Juega dentro de tus límites.
- Practica los cara a cara.
- Aprende a abandonar manos.
- Apréndete muy bien las reglas del juego al que vas a jugar.
- Sé agresivo, pero también selectivo.
- No mires tus cartas hasta que tengas que hacerlo y no sigas patrones de apuesta evidentes.
- Aprende el argot, a barajar y a mirar tus cartas.
- Sé amable jugando y juega solo cuando estés mentalmente preparado.
- Cuando juegues, tómate pequeños descansos para reponer fuerzas.
- Nunca te creas todo lo que oigas.
- No te tomes las manos como algo personal.
- Jamás olvides que juegas para divertirte.
- No te dejes avasallar.
- Y entonces, vuelve a leerte este libro.

Mejorar en el póker es fácil. Lo difícil es ganar.

Glosario

Terminología del póker, de la A a la Z

Abandonar / No ir (*fold*): retirarse de una mano devolviéndole las cartas al repartidor.

Acción (*action*): (1) turno de actuar del jugador activo (ejemplo: «tienes la acción»). (2) Una mano con un gran número de jugadores activos y en la que se apuesta mucho.

Ajustado (*tight*): jugador conservador que solo juega manos fuertes. No es probable que se tire faroles cuando apueste.

Ante: apuesta obligatoria para todos los jugadores que quieran participar en la siguiente mano.

Anunciar (*tell*): pista que proporciona el comportamiento de un jugador sobre la fuerza de su mano, o lo que quiere hacer. A menudo provocado por los nervios.

Apuesta en cadena (*string bet*): cuando haces una apuesta o una subida, todas las fichas deben colocarse frente al jugador. Adelantar algunas fichas y después volver a tu caja por más se llama *apostar en cadena* y no está permitido. Con ello se evita que el jugador ponga fichas y después vea la reacción de los contrarios a medida que la apuesta va subiendo.

Arco iris (*rainbow*): un *flop* arco iris es uno que tiene tres palos distintos. Es imposible hacer color solo con el *turn*.

Backdoor: acción de completar tu mano final utilizando las cartas comunitarias del *turn* (cuarta) y el *river* (quinta) en una partida de Hold'em.

Bad beat: confrontación con una ventaja enorme sobre tu oponente, y aun así, perder a pesar de tener todas las probabilidades a favor.

Banca (*bankroll*): cantidad de dinero que tienes disponible para jugar.

Barco (*boat*): un *full*.

Basura (*muck*): cartas descartadas y quemadas que tiene el repartidor. También describe la acción de abandonar: «tiró su mano a la basura».

Big slick: apodo para la pareja A-K en una partida de Texas Hold'em.

Bot: abreviatura de robot. Se refiere al software que se utiliza para jugar al póker.

Bote familiar (*family pot*): bote en el que todos los jugadores de la mesa están involucrados y activos antes del *flop*.

Bote lateral (*side pot*): un bote lateral se crea cuando un jugador ha hecho all-in con toda su caja pero a otros jugadores todavía le queda dinero suficiente para apostar. El jugador del *all-in* solo puede ganar una cantidad equivalente a las fichas que ha invertido, así que las apuestas restantes van a un bote lateral que se repartirá entre los jugadores activos restantes.

Botón (*button*): disco de plástico que suele tener marcada una «D» o «Dealer», que se pasa por la mesa, para indicar el orden de juego. El jugador que tiene el botón se dice que está en el botón.

Burbuja (*bubble*): último puesto en un torneo y que no gana nada (ejemplo: quedar el veintiuno en un torneo en el que ganan los veinte primeros).

Caja corta (*short stack*): cantidad de fichas de escaso valor comparadas con las del resto de la mesa. A un jugador se le puede considerar la caja corta de la mesa.

Cara a cara (*heads-up*): cuando solo dos jugadores se disputan un bote o cuando en un torneo ya solo quedan dos jugadores.

Carta gratis (*free card*): cuando todos los jugadores pasan en una ronda de apuestas antes del *turn* o el *river*, a esa carta se la denomina *carta gratis*.

Carta muerta (*dead card*): carta que ya no es jugable. De la misma forma, una mano muerta es una mano que ya no se puede jugar.

Carta superior (*overcard*): carta en la mesa comunitaria que es superior a las que tienes. Si tienes 9-J y en el *flop* sale 7-Q-K, en la mesa hay dos cartas superiores.

Carta temible (*scare card*): carta comunitaria que podría transformar lo que antes era una mano ganadora en una perdedora (ejemplo: si tienes una pareja de Reyes, pero en el *turn* aparece un As, ya no puedes asumir que K-K es ganadora).

Cartas de mano (*hole cards*): cartas ocultas de un jugador.

Cartas de mano (*pocket*): cartas que te reparten únicamente a ti. También se llama *bolsillo*.

Casa (*house*): el casino, sala de juego o establecimiento en el que se celebra la partida.

Chatarra (*junk*): cartas malas. Ver también *harapos*.

Ciega (*blind*): apuesta obligatoria realizada por uno o más jugadores antes de que se repartan las cartas. Normalmente las ciegas las ponen los jugadores sentados inmediatamente a la izquierda del botón.

Ciega grande (*big blind*): la mayor de las dos ciegas que se usan normalmente en una partida de Hold'em en lugar del ante.

Ciega pequeña (*small blind*): la apuesta más pequeña de las dos obligatorias que se suelen usar en una partida de Hold'em.

Cobrar (*cash out*): dejar una partida con dinero y cambiar las fichas por dinero.

Color (*flush*): cinco cartas del mismo palo.

Comodín (*joker*): la carta número 53 de la baraja, a menudo utilizada como comodín.

Comprometido con el bote (*pot-committed*): situación en la que tienes tantas fichas invertidas en el bote que estás atrapado en él.

Conectadas (*conector*): dos cartas iniciales en una partida de Hold'em que son consecutivas (ejemplo: 6-7, J-Q).

Cuádruples (*quads*): cuatro cartas del mismo valor (es decir, póker).

Cut-off: jugador que está una posición antes que el repartidor o el botón.

Descubierto (*stud*): cualquier variante del póker en que la primera o primeras cartas se reparten boca abajo y las siguientes boca arriba.

Desparejada (*offsuited*): mano inicial de Hold'em con dos cartas de palos distintos.

Dinero muerto (*dead money*): término despectivo para describir a los jugadores de los que se cree que no tienen posibilidades de ganar.

Dominar (*dominate*): tener la misma mejor carta que tu oponente, pero con un *kicker* más fuerte, (ejemplo: A-Q domina a A-4).

Dos (*deuce*): un dos, la carta más baja del póker.

En el tanque (*into the tank*): expresión utilizada cuando un jugador piensa durante demasiado tiempo sobre su mano (se mete en un tanque).

Enfado (*tilt*): después de una mala derrota, el jugador enfadado jugará imprudentemente: se meterá en demasiadas manos, se tirará faroles sin cesar o subirá con manos débiles.

Enfrentamiento (*showdown*): cuando todos los jugadores que quedan en una mano dan la vuelta a sus manos para ver quién ha ganado. Esto solo se hace tras completar la última ronda de apuestas, cuando quedan al menos dos jugadores activos en el bote.

Entrada (*buy-in*): coste para participar en un torneo.

Escalera (*straight*): cinco cartas de distintos palos pero consecutivas secuencialmente.

Escalera de color (*straight flush*): cinco cartas secuencialmente consecutivas del mismo palo.

Escalera de dos puntas (*open-ended straight*): cuatro cartas consecutivas que necesitan otra en cualquier extremo para hacer escalera.

Escalera interna (*inside straight*): cuatro cartas que necesitan una quinta en el medio para completar una escalera (ejemplo: 4,5, x, 7, 8)

Escalera real de color (*royal flush*): la mejor mano posible, 10-J-Q-K-A del mismo palo.

Estrellar el bote (*splash the pot*): acto impopular basado en lanzar las fichas directamente al bote principal en lugar de colocarlas enfrente.

Farol (*bluff*): acción que consiste en hacer una apuesta o una subida cuando es improbable que tengas la mejor mano.

Flop: las tres primeras cartas comunitarias, repartidas boca arriba simultáneamente.

Freeroll: torneo sin coste de entrada.

Full (*full house*): cualquier trío más una pareja de un valor distinto.

Harapiento (*ragged*): *flop* relativamente aleatorio (sobre la mesa) que parece no ayudar a nadie (por ejemplo, Jd-6h-2c puede parecer harapiento).

Harapos (*rags*): cartas inútiles.

Jugar con la mesa (*play the board*): cuando las cartas comunitarias representan la mejor mano que puedes hacer, juegas con la mesa. Es probable que suceda cuando en la mesa aparece una mano muy fuerte, como un *full*. A menudo termina con los jugadores repartiéndose el bote, ya que todos jugaron con la mesa.

Jugar despacio (*slow play*): un engaño. Consiste en jugar una mano muy fuerte lentamente para confundir al resto de jugadores, intentando así que se queden en el bote más tiempo que si advirtiesen que tienes una mano muy fuerte.

Jugar suave (*soft-play*): ser blando con un jugador por razones ajenas a la partida (ejemplo: permitir que un amigo pierda mucho con una mano perdedora). Inaceptable en cualquier partida.

Kicker: en manos casi iguales, el *kicker* es la carta no emparejada más alta del jugador y se utiliza para determinar al ganador (por ejemplo, si tienes Q-J y tu oponente Q-9 y ambos hacéis una pareja de Reinas en el *flop*, tu Jota kicker ganará la mano).

Límite de bote (*pot-limit*): variante en la que la apuesta máxima se limita a la cantidad que ya está en el bote.

Limp: ver una apuesta sin más. Normalmente se usa para describir la acción antes del *flop*. Al jugador se le puede llamar *limper*.

Lowball: variante del póker en la que gana la mano más baja.

Maníaco (*maniac*): jugador muy agresivo e hiperactivo. Un maníaco se mete en muchos botes con un gran número de subidas, apuestas y faroles. A menudo se suelen ver al comienzo de un torneo, cuando los jugadores intentan conseguir una buena ventaja inicial de fichas.

Mano hecha (*made hand*): mano completada (ejemplo: una escalera realizada en el *flop*) que no requiere más cartas.

Máxima (*nuts*): la mejor mano posible en la situación actual. También se aplica al ranking de manos (ejemplo: tener la escalera o el color máximos).

Mesa (*board*): describe todas las cartas comunitarias que aparecen en una partida de Hold'Em.

Mirón (*calling station*): jugador pasivo al que le gusta ver todas las apuestas, pero rara vez abandona o sube.

Monstruo (*monster*): mano potente, que ganará casi con seguridad.

No ir (*pass*): abandonar.

Omaha: juego de *flop* en el que cada jugador recibe cuatro cartas y debe combinarlas con tres de una mesa de cinco para hacer la mejor mano de póker posible.

Opción (*option*): el jugador que pone la ciega grande tiene la opción de subir o pasar en la secuencia.

Out: un *out* o *outs* describe a la carta o cartas que necesitas para transformar tu mano en una ganadora. Si necesitas un corazón para ganar y quedan nueve en el mazo, tienes nueve *outs*.

Pareja (*pair*): dos cartas del mismo valor.

Pareja de mano (*pocket pair*): pareja hecha con las cartas que reparten en una partida de Hold'em. Si te reparten 7-7, entonces tu pareja de mano será una pareja de Sietes.

Pareja superior (*top pair*): hacer una pareja utilizando la carta más alta del *flop*, (ejemplo: tienes J-9 y en el *flop* sale J-5-2).

Pasar (*check*): si un jugador no tiene apuestas ante él, puede pasar la acción al siguiente jugador sin hacer nada. A las fichas de apuesta también se las llama a veces *checks*.

Pasar-subir (*check-raise*): pasar en un intento deliberado de inducir una apuesta de los jugadores siguientes y después subir esa apuesta.

Perdedor (*underdog*): el jugador con la mano que es más improbable que gane matemáticamente.

Pez (*fish*): término despectivo utilizado para describir a un mal jugador que pierde su dinero con demasiada facilidad. A menudo escucharás la frase «no muevas el acuario», en referencia a cuando los jugadores dan la bienvenida a los peces (y a su dinero) a la mesa y no quieren que se asusten.

Póker (*four-of-a-kind*): cuatro cartas del mismo valor.

Poner (*post*): meter la apuesta ciega.

Probabilidades del bote (*pot odds*): cantidad de dinero en el bote comparada con la cantidad que debes pagar para seguir jugando. Si permanecer en un bote de 50 € te cuesta 5 €, tus probabilidades de bote son 10-1 si lo ves. Si las posibilidades de que tu mano sea la ganadora coinciden con las del bote, lo correcto es ver la apuesta.

Probabilidades implícitas (*implied odds*): posibilidades del bote que todavía no existen pero deberían calcularse y esperar antes del final de la mano. Los cálculos incluyen el número de jugadores que se espera que permanezcan activos al final de la mano y sus contribuciones al bote.

Proyecto (*draw*): necesidad de una carta o cartas específicas para convertir tu mano en una mano ganadora (ejemplo: en Texas Hold'em, si tienes A-K con un *flop* de Q-J-4 se dice que tienes un proyecto de escalera, y necesitarías un Diez para tener una mano fuerte).

Proyecto de color (*flush draw*): posesión de cuatro cartas de un palo y esperar conseguir la quinta para hacer color.

Proyecto de escalera interna (*gutshot*): escalera interna a la que le falta una carta para completarse.

Proyecto muerto (*drawing dead*): jugar contra un oponente que no puede ser superado, con independencia de las cartas comunitarias que falten.

Quemar (*burn*): proteger la integridad del mazo al descartar la carta boca abajo superior antes de repartir a la mesa comunitaria.

Rake: cantidad de dinero que el repartidor se lleva de cada bote.

Recompra (*rebuy*): muchos torneos ofrecen la posibilidad de volver a comprar un puesto en el torneo (una o varias veces) cuando un jugador ha perdido todas su fichas. A menudo las recompras duran un tiempo limitado (ejemplo: recompras ilimitadas durante la primera hora de juego).

Repartir el bote (*split the pot*): dos o más jugadores con manos equivalentes se repartirán el bote equitativamente.

Representar (*represent*): jugar en un estilo en el que representas una carta que no tienes (ejemplo: pasar hasta que en el *turn* aparece un Rey y después apostar como si ayudase a tu mano).

Restarse (*all-in*): hacer una apuesta en la que metes en el bote todas las fichas que te quedan.

Resubida (*reraise*): subir una subida.

Ring game: partida con dinero, opuesta a una partida de torneo.

River: la quinta y última carta comunitaria, también conocida como *quinta calle*.

Robar (*steal*): farolear desde una posición final en un intento de robar el bote, a manos en teoría más débiles.

Roca (*rock*): jugador muy ajustado que nunca juega nada que no sea una mano *premium*.

Romper (*crack*): ganar a una mano potente.

Rueda (*wheel*): secuencia consecutiva (ejemplo: A-2-3-4-5).

Satélite (*satellite*): torneo que ofrece como premio un asiento en un torneo mucho mayor en lugar de dinero.

Segunda pareja (*second pair*): pareja realizada con la segunda carta más alta del *flop* (ejemplo: si tienes J-9 y en el *flop* sale Q-9-3, tendrás la segunda pareja).

Semifarol (*semi-bluff*): apuesta o subida con la que esperas que abandonen, pero realizada con una mano que si la ven, al menos tiene posibilidades de ganar.

Señal (*suited*): posesión de una mano inicial de Hold'em en la que las dos cartas son del mismo palo.

Séptima calle (*seventh street*): última ronda de apuestas en el descubierto de siete cartas.

Straddle: apuesta de partida en vivo bastante extraña; normalmente la hace el jugador sentado inmediatamente a la izquierda de la ciega grande y consiste en doblar la ciega grande. Esto funciona como una subida, y la acción empieza a la izquierda del jugador que ha subido una vez se hayan repartido las cartas de la mano.

Subir (*raise*): igualar y después superar la apuesta anterior.

Suelto (*loose*): jugar más manos de las normales.

Tope (*cap*): en una partida con un límite de subidas por ronda de apuestas, el tope es la apuesta final en la secuencia.

Trío de mano (*set*): trío formado por una pareja de mano y una carta del mismo valor en la mesa.

Trío superior (*top set*): hacer el trío más alto posible (ejemplo: tienes J-J y en el *flop* sale J-8-6).

Trips: tres cartas del mismo valor, dos de la mesa y una en la mano.

Turn: cuarta carta comunitaria, también conocida como *cuarta calle*.

Una detrás de otra (*runner-runner*): una mano realizada con las dos últimas cartas comunitarias.

Under the gun: jugador que actúa primero en cualquier ronda de apuestas. Se considera la posición más débil porque debes tomar una decisión sin información sobre las acciones de los jugadores.

Valor (*rank*): valor numérico de la carta. No se debe confundir con el palo.

Ver / Ir (*call*): igualar la apuesta ante ti y, por tanto, seguir siendo un jugador activo en la mano.

Vivas (*live*): cartas que todavía pueden hacerte ganar la mano cuando eres el perdedor. Si tienes Q-7 y tu oponente tiene Q-J, tu Reina está muerta, pero el Siete podría darte una pareja ganadora y, por tanto, se considera que está vivo.

WPT: abreviatura de World Poker Tour, una de las organizaciones más grandes del mundo del póker.

Aprende la jerga del póker y en los casinos de Las Vegas estarás como en casa.

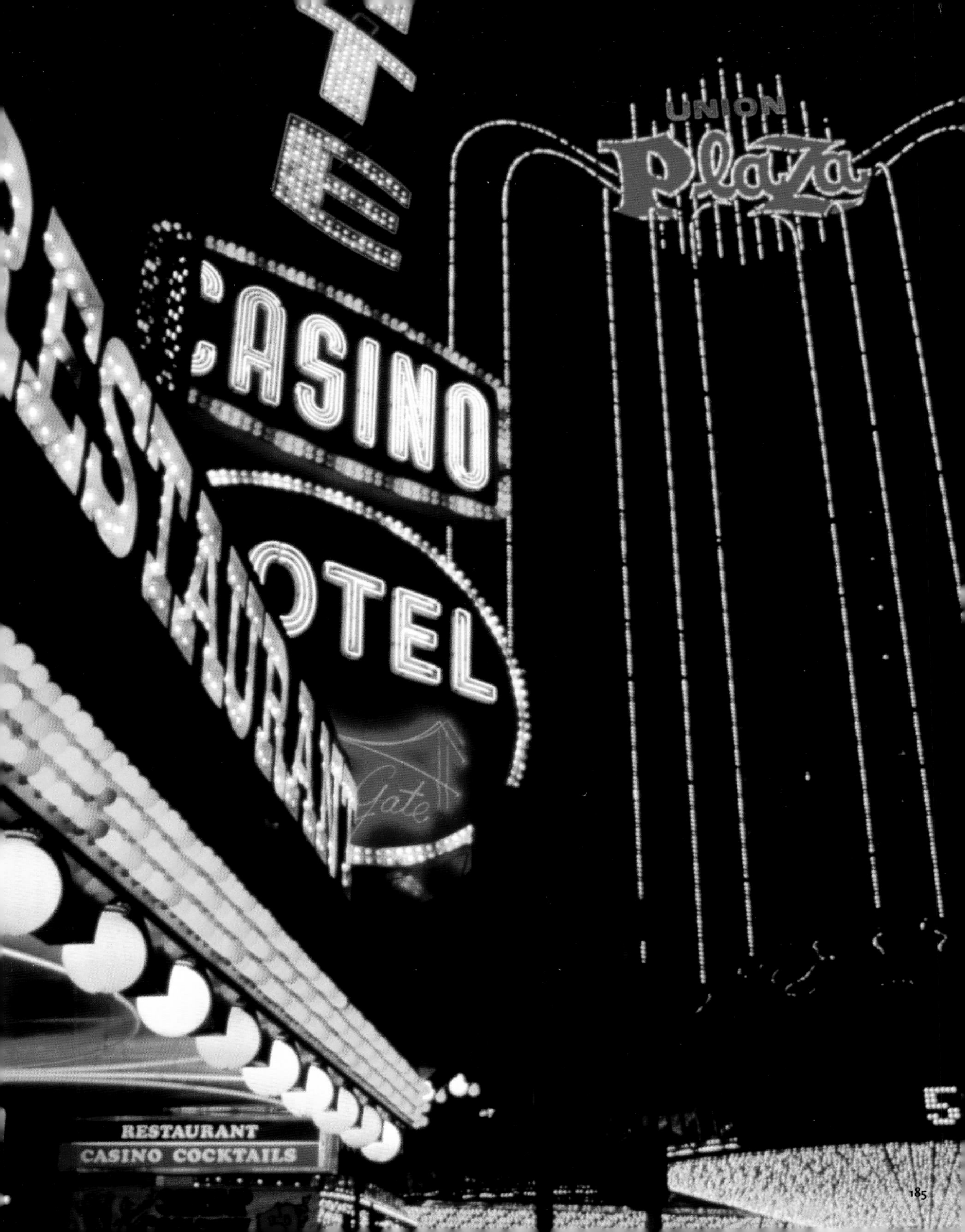
UNION
Plaza
RESTAURANT
CASINO COCKTAILS

Glosario inglés-español

A continuación, aparece un glosario con los términos en inglés y su equivalente en español. Puedes utilizarlo cuando juegues *online* y alguien diga algo y no sepas exactamente qué es. La estructura de este glosario es muy simple; así, una vez que hayas encontrado la palabra traducida, podrás consultar el glosario principal que ya se ha mostrado.

Action	Acción	Rebuy	Recompra
All-in	Restarse	Represent	Representar
Bankroll	Banca	Reraise	Resubida
Big Blind	Ciega grande	Rock	Roca
Blind	Ciega	Royal flush	Escalera real de color
Bluff	Farol		
Board	Mesa	Runner-runner	Una detrás de otra
Boat	Barco		
Bubble	Burbuja	Satellite	Satélite
Burn	Quemar	Scare card	Carta temible
Button	Botón	Second pair	Segunda pareja
Buy-in	Entrada	Semi-bluff	Semifarol
Call	Ver/ir	Set	Trío de mano
Calling Station	Mirón	Seventh street	Séptima calle
Cash out	Cobrar	Short stack	Caja corta
Check	Pasar	Showdown	Enfrentamiento
Check/Raise	Pasar/subir	Side pot	Bote lateral
Connector	Conectadas	Slow play	Jugar despacio
Crack	Romper	Small blind	Ciega pequeña
Dead Card	Carta muerta	Soft-play	Jugar suave
Dead money	Dinero muerto	Splash the pot	Estrellar el bote
Deuce	Dos		
Dominate	Dominar	Split the pot	Repartir el bote
Draw	Proyecto		
Drawing dead	Proyecto muerto	Steal	Robar
		Straight	Escalera
Family pot	Bote familiar	Straight flush	Escalera de color
Fish	Pez	String bet	Apuesta en cadena
Flush	Color		
Flush draw	Proyecto de color	Stud	Descubierto
		Suited	Emparejada
Fold	Abandonar/ no ir	Tell	Anunciar / Señales
		Tight	Ajustado
Four-of-a-kind	Póker	Tilt	Enfado
Free card	Carta gratis	Top pair	Pareja superior
Full house	Full	Top set	Trío superior
Gutshot	Proyecto de escalera interna	Tope	Cap
		Trey	Tres
		Underdog	Perdedor
Heads-up	Cara a cara	Wheel	Rueda
Hole cards	Cartas de mano		
House	Casa		
Implied odds	Probabilidades implícitas		
Inside straight	Escalera interna		
Into the tank	En el tanque		
Joker	Comodín		
Junk	Chatarra		
Live	Vivas		
Loose	Suelto		
Made hand	Mano hecha		
Maniac	Maníaco		
Monster	Monstruo		
Muck	Basura		
Nuts	Máxima		
Offsuited	Desparejada		
Open-ended straight	Escalera de dos puntas		
Option	Opción		
Overcard	Carta superior		
Pair	Pareja		
Pass	No ir/ abandonar		
Play the board	Jugar con la mesa		
Pocket	Cartas de mano		
Pocket pair	Pareja de mano		
Post	Poner		
Pot-committed	Comprometido con el bote		
Pot-limit	Límite de bote		
Quads	Póker		
Ragged	Harapiento		
Rags	Harapos		
Rainbow	Arco iris		
Raise	Subir		
Rank	Valor		

Índice

Sobre la nomenclatura de las cartas

«Yo tenía Ac-7h y él me ganó con su As-6d».
Es muy probable que cuando leas algo así en foros, blogs o libros sobre póker te preguntes qué significan las letras en minúscula. En este mismo libro se ha empleado esta nomenclatura para hablar de las cartas.

Las minúsculas representan el palo de las cartas, en inglés. Es decir, Ac significa *Ace of Clubs* y 6d *Six of Diamonds*.

Clubs «c»	Tréboles
Hearts «h»	Corazones
Spades «s»	Picas
Diamonds «d»	Diamantes

Aunque te cueste un poco aprenderlo, te resultará tremendamente útil, ya que casi siempre que leas algo sobre póker se utilizará esta nomenclatura para las cartas y sus palos.

De hecho, en este mismo libro la utilizamos, para que el lector se vaya acostumbrando a la jerga que se encontrará cuando comience a jugar al póker por Internet o en vivo.

Otra nomenclatura es la utilizada para hablar de cartas del mismo palo (*suited*) o de distinto palo (*offsuited*). En este caso, los palos en particular no suelen ser lo importante.

AKs	As Rey del mismo palo
AKo	As Rey de diferente palo

Sobre los autores

Dave Woods es el editor en jefe de *PokerPlayer*, la revista de póker líder en el mercado británico. Asimismo, es un jugador muy astuto y competitivo. Sus padres le enseñaron a jugar a las cartas cuando era un niño y ha pasado de jugar por unos peniques en Newmarket a disputarse millones de dólares en los grandes torneos internacionales, como el Aussie Millions. Si no está en Las Vegas o en las salas de cartas de Londres, le encontrarás navegando por las páginas de póker *online* en busca de futuras víctimas. Y ahora ha decidido enseñarte todos sus conocimientos.

Matt Broughton fue uno de los primeros jugadores de póker por Internet y, desde entonces, ha atormentado a todo el mundo. Es un periodista *freelance* y uno de los expertos presentadores del galardonado programa televisivo *Poker Night Live*; además, ha colaborado con todas las revistas de póker que existen. Matt, que suele viajar a Las Vegas, participa, asimismo, en muchas de las partidas privadas de los canales británicos. Es el anfitrión de www.pokerbods.com y también dirige sus propias compañías de eventos y de mesas de póker.

Créditos de las imágenes

Los editores querrían agradecer a las siguientes fuentes su amabilidad al permitirles reproducir las imágenes de este libro.

Alamy Images: Cut and Deal Ltd: 84, 158, 163, 181; Darren Matthews: 57; Niall McDiarmid: 123; Purcell Team: 186; Teena Taylor: 152; Jochem Wijnands/Picture Contact: 180 abajo izquierda

Carlton Books Ltd: 127, 179 abajo derecha

Cassava Enterprises Ltd.: 127 arriba derecha

Corbis Images: Miguel Gandert: 73

Cortesía Leo Margets: 126, 127 abajo

Cortesía 888.com: 6, 112, 114, 116 abajo, 118, 119, 120, 127 arriba izquierda

Getty Images: 91; Todd Bigelow: 96, 103; Buyenlarge /Time Life Pictures: 14; Frank Driggs Collection: 178; Matt Henry Gunther/Stone: 60; Ethan Miller: 22, 23, 27, 72, 85, 134, 136, 166, 170; Robert Mora: 9; Larry W Smith: 21, 102; Peter Stackpole/Time Life Pictures: 42

MANSIONpoker.com: Spped Poker: 169 arriba

New Line Home Entertainment: 24

Picture Desk/The Kobal Collection: 12; IRS Media/AM Playhouse: 6; Miramax 167; Universal: 58, 164; Warner Brothers: 132, 172

Planet Póquer: 14

Pokerimages.com: 95; Ulvis Alberts: 56; Bill Burlington: 8 abajo izquierda, 11, 19, 20, 76, 176 abajo derecha, 180 arriba izquierda, 180 arriba derecha; Paul Ress: 171, 179 abajo izquierda

Private Collection: 8 arriba derecha

Rex Features: Andrew Drysdale: 113, 175 abajo derecha; Everett Collection: 40, 70, 86, 106, 124, 150; Matt Phelvin: 126, 128; Snap: 4

Richard Bosworth Photography: 10

Stock.XCHNG: 120, 169 abajo derecha, 174 izquierda, 174 derecha, 175 abajo derecha, 176 arriba derecha, 177, 180 abajo derecha.